# 歌うたいの黒うさぎ⑥

石井まゆみ

# 歌うたいの黒うさぎ⑥

# CONTENTS



## これまでのお話

屋敷のメイドたちの意見をまとめ、南場に意見するまでになった黒ウサこと森永。卒業試験の代わりに開かれたお茶会では、春からお嬢様へと戻っていくメイドたちと、万乃愛の言動を通して、お嬢様として生きることの厳しさを体感する。

そして、周囲から、ご主人様との結婚を狙う者がいるという話や、叶夢の母親の話を新たに耳にする中で、森永は、叶夢をよりしっかり守るために、彼の子守メイドになることを決意する。

特別な審査会で決められる子守メイドだが、すでに次期は森永で決まっているという噂が流れ、それを確かめるために歴代乳母40人が集結してしまう。

場を納めるためにてんやわんやの屋敷。南場から決して彼女たちの前に姿を現してはならないと言われたにも拘わらず、叶夢と遊び疲れて居眠りしている所などを目撃されてしまう。

最悪の印象を与えた中、屋敷が突然停電。叶夢を救うために真っ暗な中を懐中電灯も持たず探し回った森永はケガを負ってしまう。

さらに、南場からは、ケガが治るまでは家に帰り休養するようにと言われてしまって……。

歌うたいの黒うさぎ
UTAUTAI no KUROUSAGI
第29章

ただいま戻りました
お帰りなさい！
どうだった!?
どのくらいかかるんですって!? 治るまで
あれ？
もしかしてご心配おかけしちゃったり…？
もしかして……じゃないわよ！
坊っちゃまの部屋まで点々と
血の跡が壁や床に残ってて
あわててみんなで拭いたのよ
もーすごくてー

私たち 泣けて きちゃったわ
あなたが あの暗闇の中を 何度もころんで 坊っちゃまの所に かけつけた ——って わかって
掃除させて しまって すみません でした
あわてすぎ ですよねぇ…
懐中電灯も 450万の花器も
はー
花器は確か 保険に入ってるはずよ
えっ 本当に!?
ええ 確か
本当 ——に!?
…
私たちなんて 南場さんに 指示されるまま 動くだけで
いっぱい いっぱい だったのよー
お客様より ご家族の事を 第一に 考えるべき だったのに
やっぱり
とっさに 自分で判断して 動くのって なかなか できないわよね…

でも ああいう時は ちゃんと南場さんの指示に従って
冷静に動くべきでしたね！
そ
それは……
あなたなりに反省してるって意味？
こう見えて
立派に反省しているんですヨっ!!
それでー
私
明日ここを出ます
えっ
えええっ
クビになったの!?
ちがいますよ!!
たぶんっ いや 絶対っ!!
切り傷の方は
走り回ったから出血が多かっただけで何針か縫っただけなんですが
ヒビの方は完治に一か月ほどかかるらしくて

あなたの仕事くらい私たちがカバーするわよ!?
でもたいした事してないし——それにもうすぐみなさんは卒業ですし
あ——……
あなたちゃんと南場さんに抗議したの!?
どうせ成り行きではい出て行きますってすぐ言っちゃったんでしょう!?
あー えーちょっとはねばったんですけど
南場さんにそう言われちゃ…
治ったらちゃんと戻って来たいしここは大人しく…と
坊っちゃまにもちゃんと伝えた?
えーと…

黙って出て行くの――!?
だって言ったって…どうしようもーないですしー
だけど〜〜〜
南場さんの言うようにみなさんの迷惑になっちゃいますよ
坊っちゃま私たちにやつあたりするだろうなぁ
うわ――――

ゆうべの娘さんの
手の傷の具合はどうでしたか？
ご心配おかけしました
まだ休んでいるのでしょう
だんな様も叶夢様もまだ──
あ
みなさまにはお礼だけ申し上げておいて下さいな
このご家族には
あれくらいのんびりした娘の方が
ちゃんと寄り添ってお世話できるのかも知れませんねぇ
良いメイドに育ちますよ
きっと
あ
そう
皆さんもう帰ったんだ

えーと オムレツ たのむ
僕は エッグベネディクト お願いします
えっ 何ソレ
じゃオレも それ!!
ゆうべの みなさんの反応では 子守メイド黒ウサさんで 大丈夫そう ですよね?
あれは 舞台劇のように インパクトのある 登場シーン でしたからねぇ
まあ 大騒ぎに なっちゃったけど 結果オーライって やつでしょ
あ これ 死語!?
で 森永さん 休み?
骨折で 熱とか 出てるんじゃ ない?
みなさんが 帰られて だんな様 安心しきって ノリノリ ですよね
それも 死語じゃ ないの? ノリノリって
今 私は フリーっっ
楡屋敷の 統主の役って 疲れるんだよ

別に寝てなくてもいいんなら
屋敷中ブラブラさせておけばいいんだよ
あ いつもの仕事も似たようなもんか
叶夢もそれでも大満足らしいし
いえ ―それでは他の者にしめしがつきませんし
しばらく帰宅させます
私も同行してご家族に事情を説明致したいと―
あ オレも行くよ
息子がこれから長く世話になる訳だし
ケガをさせたおわびをしなくては
それはご無用ですだんな様
今回の事は本人の判断で動いて
招いてしまった事ですから
……
南場ゆうべの事怒ってる？
実は笑ってないよね。

ケガをした手で
坊っちゃまを
かかえて
暗闇を
歩くなどと
とんでもない
事です
階段から
ころげ落ちたり
したかも
知れません
それが
どんなに危険な
事だったか
本人が気づく
まで
反省させるには
よい機会です
えっ
だめだったの?
あれ…
だいたい
子守メイドと
いうのは
でも—
南場
なんだか
急に
ハードル
上げてないか?
去年の
子守メイドにも
おととしのにも
同じ事
言った?
確かに
森永さんに
厳しすぎる
ような気がします
僕だって
お世話役を
させていただいて
いますが
そこまでの
覚悟は
問われなかったと
思いますが…

みなさまが 森永さんに 甘すぎるの です
あー まーねー
あ じゃあ その分 南場が 嫌われ役を 演じているのか!?
すまん そうだったの か――っ
あ そうか! 失礼 しました!
……
あっ!? 違う!?
またおまえ 的ハズレな事 言い出して…
えっ 先に おっしゃったのは だんな様の方 でしたよね?!
誰か 森永さんを 呼んできて 下さい
え
あの 森永さんは 朝早く 出て行きましたが ――
え!?

また 予想外の展開になってるようだな…
ま
まあ 今度は ほら 家の電話も!! わかってる訳だし
……また あの キャラメル好きで 疑い深い おばあちゃんが 出たら 連絡つかないのと 同じ事ですが…
おばあちゃんに振り込め詐欺と疑われたコトがある。
叶夢 もう少し 寝かせて おいた方が いいだろうな
そうですね
しばらく ずっと 何も知らず 寝てて くれないかな
……そうですね
……

ピ～ンポ～ン
ピ～ンポ～ン
はい どちら様
え――
私――
はい？ どちらの〝私〟さま
おばあちゃん
モニターでこっち見えてるよね
――合い言葉は？
〝森永〟
……〝キャラメル〟？
ブー 今月は〝チョコレート〟です
え――

誰？
ほら かなり昔に
橋の下で泣いてたから拾ってきた子ども
野生に還したのに
また戻ってきたようだよ
あー オレが小４の時に――拾ったのは父さんでしたっけ
えーと どうもお兄さま ごぶさたしており――ました。
おまえがいた会社 秋口に無くなったよな
それから何をしていたんだ？
ドキ――ン!!
あ……の

おやー
永森子帰ったの？
あ！
ただいま
お父さん
永森子も
帰ったし
じゃ今夜は
鍋だね⁉
で？
永森子
あ
えーと
いろいろ
ありまして
………
一言で
言うと
職を転々と
しており
ました
ほら
ちゃんと
働いて
いたんだよ
えらいじゃ
ないか！
で？
その
コートで
不自然に
かくしてる
腕はなんだ？
手袋も
したままだな？
あっ……
あははは

お屋……
……
職場の停電の時にころんでちょっとしたツボとか割ってちょっとケガを…
それで暇を出されたのか？
あ　ううん　たぶんそうじゃなく…
たぶん？
とは？
ピク
ちょっとしたツボ？
あっでも大丈夫ー
すぐ病院に連れてってもらったし
えー
……
早く治って戻らないと他の人にとって代わられそうな人気職でーえ
ピンポ～～ンよ
ほら　おむかえの方がいらしたよ
では行ってまいります　おばあさま　お父さん
いってらっしゃーい
早く行ってーーーっっっ
永森子　帰ったらゆっくりその〝ちょっとしたツボ〟の話を聞くから
う…

行った行った――
あれお母さんは？
久仁子さんは韓流のほら何てったっけグループのおっかけで
今韓国行ってるよ
おまえの事も心配だとか言ってたけど
ありゃ口だけだね
あ麗人もそろそろ時間じゃない？
おっとごちそうさま
永森子は当分いるんだろ？
あうん
手が治るまで？
じゃ当分鍋だな♬
よしっ今夜はカニ鍋にしましょう！母さん
そりゃいいねぇカニラーの久仁子さんくやしがるね
行ってらっしゃいー
お父さんそんなに鍋好きだったっけ？

久仁子さんはいないし
母さん
仁人は仕事で遅いし
兄さん
鍋なんか麗人と二人だけでつついたって何もおいしくないからねぇ
父さん
チーン
だからついさけちゃって
あー……
でもみんな私いなくても心配してないみたい…
お正月に帰らないって連絡した時も
別に何も言ってなかったくせに
まぁあんただってもう社会人なんだから
家族より友だちや仕事を優先する方が安心だからって
それ兄さんが言ったの？
仁人はね
ある程度おまえがどうしてるかわかってたと思うよ
えまさかっ
……

でも　いくら　兄さんでも
私がゆうべ　割った
ツボの値段までは　知らないと思う…
えっ　何　いくらなの？
聞きたい？
……聞きたく　ないよ
ね——？
妹捜しに　貴重な非番の日を　つぶしたく　ありませんし
もちろん　仕事のついでに　あれこれ　聞きまわるとか
ありえません!!
永森子が　何をしてたか　——なんて
今の今まで　知りませんでしたよ
よかったね
じゃあ　ツボの値段も　知らないね
ふー

ツボの値段——って
何の事でしょうねぇ
うーん
これで今回は長野に続き——
まさか
ツボを買わされた——とか!?
いやそれはないだろう
おまえにきびしく言われてるのに
で…ですよね?
ガラリ
コーヒー淹れた——
お
おう
久しぶりだなおまえの作った泥水飲むのは
ん
どうしたんだこれ!?
泥水じゃないぞ!?
うまいっ
うまいっ
おまじないかけときましたっ

おまじない――って まさか おまえ やっぱり…
そ それは いい おまじないを 習ったねぇ
もしかしてそれ 傷が治る おまじないとか かけたりとか？
え――？
普通に 病院で 治療して もらっただけ だけど――？
ほら 変な 宗教とかじゃ なさそうだよ？
はぁ はぁ はぁ
そんな おまじないが あれば すぐ やってるってば ……
着替えるのも すごい時間 かかるし
ほい
こんなんじゃ 本当に お屋敷にいても 迷惑かける ばっかりだった よね――
でも
治る頃には
坊っちゃまの 子守メイド(ナース)は
他の人に 決まっちゃってる だろうなぁ……

黒ウサ――っ
おせーし！もう新しいやつ来たし!!
あいつすげーぞ!!
ヒマな時見に来いよー
とか言われちゃってさぁ？
何がすごいんだか
は――
やっぱ
戻っても遅いかもだよな――
何ならこのまま家にいていいんだからな？
家事やればお給金もらえるの？
それはない！
おまえはさ
本当～～～に香気だから
ちゃんと安定している仕事につけって
きびしく言ってきたけど
転々としたなりにちゃんと働いてきたんだろ？

この就職難に　次の働き口がすぐ見つかるのもすごいぞ？
おまえみたいになまけ者でブアイソな女が
そうそう　なのにご指名が多くてサボれないしさー
なんでー？
でも今の仕事先の推薦状は
ごっご指名！？
お店のお客様とか店長とかが書いてくれて
お店のお客！？
あ　ほう！
いや　そうか　すごいじゃないか!!
推薦状なんて気軽に書けるものじゃないから
おまえの事信頼してくれてたんだろう？
お父さんお礼言わないと〜〜〜ぉ
え――？
うーん　いいよ？
別にさ――
まあ？なんて言うか　アレだし？
なんなんだ!?
その何もかもあいまいな語尾はっ！
まあ　まあ
だって
結局いい働きをしてくれたのは
坊っちゃまからの招待状だったしなぁ

よしっ
お?
もう
寝るっ
お そうか
寝ろ寝ろ
ぐっすり
おやすみ
パタン…
トテトテトテ
……
坊っちゃま?
招待状?
あいつは
何をして
いたんでしょう
直接
聞き出すか
こっそり
調べるか
どっちが
簡単かね?
双方向で!
いろいろ
聞かれただろ?
うん
全部
ボカして答え
といた——
おばあちゃん
背中あけてー
それで
いいよ
当分
自由に
泳がしてくれる
私
容疑者!?
そう
言えば
前に
かかってきた
振り込め詐欺の
ああ
お母さんが
ひっかかりそうに
なって
大騒ぎになった
——
とんでもない!
私はそんなものに
ひっかかりませんよ!!

ナントカヤシキってとこからでお宅のお嬢様と連絡を取りたい
――って
ナントカヤシキ？…和風ファミレスとか？
えーと
木の名前だったような――松？
んー？松とか梅とかの弁当系じゃなく
ケヤキ？……カシ？二文字!?
シイ？
あーシイヤシキ？近いねっ
モミ――ニレ!?
あれ？そんな感じ…
楡屋敷――!?
ヴ～～ん…
坊っちゃ…
ドラゴン…
宝箱…

な――
黒ウサは
まだ
びょーいん？
きたっ!!
さ
さあ
南場に
聞いてみないと
な――
南場ー
黒ウサ
入院
すんの？
坊っちゃま
森永は
ケガが治るまで
暇を出しました
えっ
やった――っ
ケガがなおる
まで
ヒマ
――っ!!

あ 坊っちゃま 申し訳ございません
そういう意味ではなく
やったー やったー
あー そうだ!
オレ まとめて昼寝するにする!!
黒ウサが たんいんするまで昼寝する!!
おっ! あったまいいな ボーズ! 寝ろ寝ろ よく寝ろ!!
よしっ ひるね するぞっ
ついて来い 15っ!!
はい はい
南場 ちゃんと黒ウサさんに 治ったらすぐ出て来いって伝えた?
はい
もちろん申し伝えました
彼女さぁ
もし子守メイド(ナース)になれなくて
叶夢とあまり遊べないとかになったら
楽しみなくなって 面倒になって ——

もし治っても
ここに戻って来なくなるんじゃないかと……
彼女は――
今までここで働いてたお嬢様と違って
ここで働けないとどこに行ったらいいかわからない――って娘さんじゃないだろう？
どこでも働ける
どこでも何とかやってける
そういう人間だと思うからね
今ごろ他の働き口を探してるかも
そんな事になったら
確実に叶夢はグレるな…
うわ
だんな様もしそうなったとしても――

それまでの事です
その程度のやる気しかないのでしたら
とても坊っちゃまをまかせられません
戻らなくとも結構です！
あー…うん。
そ…そうだよね
急募！
・25歳以下の明るくてまじめな女性。土・日曜出勤可能な方。
・時給800円
・他　お気軽に問い合わせ下さい。
店主
……
なんだとおーっっ!!
なぜ25歳以下ってトコに波線!?
あ？
全然25以下が応募して来ない―ってコトか!?

古儀堂
あ
この店まだあった
ここ
絵本が多かったような
あ
これ小学校の図書室にあって
好きだった本だ!!
郵便配達のけもの
坊っちゃまも好きそう
…
週刊現在
楡屋敷の遊び人
WBC
楡屋敷の遊び人の漂着先か

お相手は
椽屋敷家の御曹子
スイートな密会！
Mさんはパリ在住のパティシエで
この人が坊っちゃまのお母さん？
え
――この女
お屋敷のクリスマスパーティで見た――!!

"歌うたいの黒うさぎ"⑥!!

お買い上げ ありがとうございました!!

前の⑤巻を出していただいてから

こっっんなに早く⑥巻を!! うおーっっ!! 嬉しくて踊りますヨ!!
〃くるくる..〃

26.5章という番外編と (26章と27章の間のエピソード)
Q&Aを収録していただきましたので
いつもの巻とちょっと違う お楽しみが満載なのです!!

26.5章の中に出てくる
"ホラー作家が書いた こわい絵本"というのは
本当に刊行されています。
興味がありましたら ぜひぜひ!!

京極夏彦・作の"いるのいないの"です。
岩崎書店から出版された 怪談えほん(3)で
他のホラー小説家さんの絵本も出ております。

大人のための絵本ですよねえ… え? 子どもに読ませるの!?
じわじわとこわいんですよ…。 うーん…。

帰省中に買った。
あんまりこわいから 実家に置いてきた。笑。
また読みたくなったので
帰省したら 今度は持って帰ろうと思いマス!!

あ! 敬称略でした…

歌うたいの黒うさぎ
UTAUTAI no KUROUSAGI
第30章

この

# 6巻目は私にとって ~~ちょっと~~ ちょー 記念すべき!! 巻になりました。のお話①

長っ!!

30章を描く月に胃腸炎でヘタばってしまいました。

仕事に入るのが大幅に遅れてしまったので よし！やるしかない!!

突然 前々から計画していた予定を早めて（たぶん2年くらい早まった！）

デジタルで原稿を仕上げる事にしました!!

いつものように普通に（いえ，私の体調のせいで

予定より遅く。ドキドキしながら）仕事場に来た

アシさん3人に「今回からデジタルにしようかと思って—。」と

宣言!!　ええええ——!!!

幸いアシさんたちはそれぞれ

自分の同人誌や他の仕事場で

すでにデジタル作業を経験しており

そんなこんなで私も突然

決心する事ができたのでーす。

でもまだ私の作業（人物のペン入れやトーンの指定）が

アナログなので… 完全にデジタル化されたとは大きな声じゃ

言えませんのですヨ…。

がんばれ私!!

扉はかなり前からデジタルで描いたり仕上げたりしてます。

でもものすご——く時間かかるん…。

(>o<。)

やっぱりがんばれ私!!

ブランケットを どうぞ
温かい お飲み物を お持ち いたしましょうか?
ブランケット いかがですかー
あ こっちに たのむー
私も
おーい ここにも くれー 一人二枚!
寒いんだったら 家に入ってくださいヨ
もー
早くっ 寒いんだよ

あ〜〜〜
さっさと寝てくんないかなー
……
あたたかいベッドのご用意もございますー
あ
ブランケットいりません…よね

酔ってるのかな
大丈夫かな
南場さんを呼んで来た方がいいかも……
あちらのポーチにストーブと温かいお飲み物のご用意もございますので
………
あの…

叶夢……ちゃんは
今夜は──？
坊っちゃまはもうお休みになりました
先程まで大さわぎしておりましたのでお疲れになったのかと…
おーいブランケットたのむー
あはーい
二枚ねー
──！
あれが夢摘さんだったんだ──

てっきり もう 亡くなったのだと ばかり――

だって みんな そう 言ってたよね？

だって みんな ……

違う

誰も そんな事は 言ってない

夢摘さんが 亡くなった

――なんて

誰も

はっきり 言ってなかった

坊っちゃまのお母さんは生きてる――
これが
みんなが最後まで口にできなかった
秘密なんだ――!!
なーんだ
だったらしょうがないじゃない
気まぐれに私が
ちょっと教えて欲しいとかたのんだって
気軽に教えてもらえる事じゃないわ
そうかぁ
あの人がぁ――
きれいな人だったなぁ……
ちょっと天然なっ?

まさか
……
あの夜は
坊っちゃまに
会うために
来ていたの
──!?
ドキ ドキ ドキ
そんな
今さら
ゴホッ
はっ
やめよう!!
私が
考えたところで
──
ありがとう
ございました
買っちゃったよ…
そうか
生きてたかぁ
ハッ
いやーっ
もう
知っちゃった
以上
考えないって
訳には
いかないのよ
〰

〝森永っ〟?
えーと
と チョコじゃなく
うーん
あ!!
〝牛乳〟!!
思い出したー
おかえりー――
おばあちゃん もう合い言葉は赦してよ――
今ジョギングの人たちに見られたー
根性なしだねぇっ!!
はー
あ!
じーーん……
傷がつった……
ちゃんと痛み止め飲んだ?
忘れてた
いい加減だねぇ そのくらいじゃ仕事できるだろうに
おばあちゃんとってー
でしょー? 私は仕事したいのはヤマヤマタニタニなんだけど…

動かさないでいれば自力で治ってくるんだって
でもヒビがひどかったらボルト入れる手術する事になるとこだったらしいし
ボルト？カッコいいねー
あ！そう言えばおまえファミレスで働いてた？
え？ファミレスはないなぁ
……カフェとかなら
ほらやっぱり嘘の電話だ！
おまえが働いてるヤシキです――とか言っちゃってさ
その手にひっかかるもんかい
な？何？ヤシキ――って言った!?
今さっき電話あってね
どっかのローカルなファミレスだろ？
ニレヤシキ――ってとこ？

何て言ってた？
何の用で!?
誰から!?

え？
ええ
男の人…？

子ども!?

え？
だから
男の人！

あ
――
なんだ

じゃ
いいかー

それ
私が今
働いてるお家…
楡屋敷さんって
名前なの

えっ

そんなの
まぎらわ
しいねっ

どこから
きいても
和風
ファミレス
だよ

ま…
まあね……

使用人も
いーっぱい
いるしね

ははは

そうか…

ごめん
ごめん

てっきり
なりすまし詐欺かと

こっちから
かければ？

あ

ううん大丈夫だよ

用があれば
また
かかってくるよ

……

今

坊っちゃまの
声なんか
きいたら
凹んじゃう…

だんな様の
声なんか
きいたら

いろいろ
問い詰め
たくなるし

だんな様は
夢摘さんが
パーティに
来ていた
――って
知っていた
だろうか
えー
これ
言っておく
べき!?
ガー
タ
やっぱ
電話
もし
知らなかったら
――
いや
……
いや
いや
くね
くね
ここは
私が
首つっこんじゃ
だめよね
…
ただいま――
今夜は
豚キムチ鍋に
するぞ――っ
材料
買ってきた!
おー
ドン
ドン

お兄ちゃん
やっぱり
遅くなるの
かなー
ハナから
アテにしちゃー
いないよ
キムチをね
新大久保まで行って
買って
来たんだよ
あの
韓国街
まで!?
お母さんが
買って来るんじゃ
ないの?
キムチとか
本場の
いや
もう
今夜は
何が何でも
豚キムチを
食べたくてなー
お父さん
ビール?
お!
悪いな
あけて
冷蔵庫
出すから
……
力入んなくてさ~
……
じゃ
なぜきいた

何やかや言って おまえ よく動くように なったよ
え 何が？
え そんな事ないでしょ
何 言ってんの いつも手伝ってくれたのは 男二人だよ
バイト先で よく しこまれた ようだね
前の あんたなら 言うまで 動かなかった
……
お父さんとお兄ちゃんが よく 動くから する事なかったんだよ…
私はやる気でした―っ
まあ 確かに
手伝って欲しく なかったりも …した
すまん 確かに
成長をさまたげていた。
どんな バイト してたんだい？
えー
……スーパーの 野菜売り場とか おそうざいとかー

仁人も
いないんだから
言っちゃうなら
今のうちだよ!?
あ
そうだねっ
言おう!
秋葉原のメイドカフェで
うさぎの
耳つけてた!!
(早口)
そんな
流行の仕事に
よくまあ
30も近い女が
やとって
もらえたねっ
26です
ニコニコ
甘える
妹みたいな
ピンクのウサギ
話が合う
同級生
みたいな
赤いウサギ
たよりに
なる
お姉さん
みたいな
ブルーのウサギ
……って?
バランスを
考えてた
らしくて
それで
おまえは?
いつも
何かしら
怒ってる
バイト先の
ツンツン
お姉さん
——って設定の
黒ウサギ
ああ——……

スーパーでは
野菜を
教えてもらった
なぁ
ほ──
で？
会社より
いろいろ
勉強になった
っぽい
あ──
で──？
いよいよ核心!!
で
今は…
その…
楡屋敷って
家なんだろ？
ピンポーン…
あ
帰って来たっ!!
お兄ちゃんには
黙っててよ
いろいろ！
え──
お父さん
それはできないかも
仁人は
人に聞き出すの
うまいし
執念深い
からなぁ
結局
何でも
話しちゃってる
から
お兄ちゃんと
目を合わせ
ないように
してたら
挙動不審で
よけい
ダメだからね!!
ビシー！
えーでも
目を合わせたら
話すハメに
なりそうだし
ただ今
帰りました

兄さん　お帰り───い
やだー父さんたら
おおかえり
なー？
あはは
やだやだ　ヘソが　茶を　わかすよ　やめとくれ………
あははは
わははは
何だか
しらじらしくて
うさんくさくて
ウソくさい
ひっ
だ
だって　笑って　ごまかさ　ないと
手がっ
ずーんと　痛いし

でも でも
痛み止めに
頼らない方が
いいんじゃ
ないのかい?
いえ
処方されたものは
決まった
時間に
決められた量
服用した方が
いいんです
おまえは
そう
何でもかんでも
決まり通りってのも
…
人間には
自分で
治す力が
あるんだよっ
いや
しかし
……
うまくごまかせた?
今夜は
セーフかな?
ははは
いいから
さっさと
着替えて
おいで～
はーい
はあ～
ふー…
どうしたらいいのかなーあ?
全部話してくれる
責任のない人から
聞かないと
ダメだ
カステラ
食べる ひとー
責任のない人?
―か
無責任な人!?
あ…?
あ!!
いる!!
……

ネットカフェ
パック おとく 1980円 24HR
ガヤガヤ
ワイワイ
LOVE
あ
もしもーし
店長――？
ざわざわ
今店長に会いたいって人が来てましてー
早く来て下さーい
森ウサギcafe
3Fに来てね
ウサギ
パンケーキ
何かものすご――く怒ってるんですう
あれー
久しぶり黒ウサくん!!
よっわー店長やめてーこの店の風船は

ほら
きみたち
これが
あの秋葉原店で
伝説になっている
先輩の
黒ウサギ
くんだよっ
あ どーもっ
わー
あの
大豪邸のメイドに
スカウトされて
いったという!!
光栄
ですっ
で?
今日も
ムチャクチャ
いい感じに
不機嫌だね?
電話で
すまそうと
思ったんですけど
やっぱりここは
直接会って
話を
きこうかと
………
ギシ
ギシ
急に
思い立って
出て来たから
薬
飲み忘れて
薬が
切れて…
薬っ!?
薬って
マサカ
あぶない
何かの…
そりゃ
きみの頼みと
あれば
なんとか
手に入れる
方法も…
痛み止め
ですよ
両手が
ずくん
ずくん
します…
なにそれっ
誰かっ
マツカヨで
痛み止め!
キョー効く
あと熱いココア
はぁい

店長は
そう見えて
お金持ちの
坊っちゃん
でしたよね
そう見えて…え
え
まあ…
楡屋敷の
足元にも
およばないけど
ね…
いろいろ
部外者に
きいたなんて事
南場さんに
バレたら
クビくらいじゃ
すまないかもですが
ぐあっ…
あの
広い庭に
生き埋めとか
かな……
ま
きみに
頼ってもらえる
とはねー
何でも
きいて！
オレも
生き埋め
カクゴで
話すよっ
楡屋敷の遊び人の漂着先か!?
青原「妻子裏切りの現場」
週刊現在
あー
この記事ね
“楡屋敷の
遊び人”ーって
当時の
マスコミが
追いかけてた
ネタだったなぁ
でも
これ以降の
数知氏と
Mさんに
関する記事は
楡屋敷の
弁護団で
すべて握りつぶして
いたようで
出てないいん
だよな…

あの…夢摘さんはどんな事情があって坊っちゃまを手離したんでしょう？
早っ
アニメバトル
これ噂で…
あ でも外には出てない内輪だけの噂だから
……まぁ真実に近いと思うんだけどね
でもまた聞きだしなぁ……
えー
ここまで来て迷うとかってなしにして下さい〜〜〜〜っっ!!
――夢摘さんは
赤ちゃんができてから味覚が変わってしまったらしいんだ
でもそれってよく聞く話ですよね
土とか？妙なモノを食べたくなってしまった
妊婦さんの話とか…

でも
彼女の
仕事って
いうのはね——
えー
あ！
パティシエ!!
そう
パリで
ここ何年も変わらぬ
人気の店を
まかされて
いたんだけどね
作ってる
本人が
何を
食べても
砂を食べてるように
感じるんじゃ
おいしいものが
作れる訳はない
作りたいと
いう気持ちと
正しい
分量だけじゃ
客の舌は
ごまかせない
しばらくは
誰にも悟られずに
やっていたらしいんだけど
味が落ちたと
噂になって——
とうとう
オーナーに
告白するしか
なくなって
結局
店を
休むように
言われて——

自分の作った 全ての レシピを 置いて
店を出て いくことを 選んだらしい
店を大切に 考えていたからねェ
でも 味覚障害って 確か亜鉛で 改善できるって…
ストレスからの 要因も多い そうだ
赤ちゃんを 無事に 出産したとしても
完全に 一流の味覚が 戻る保証は どこにもないからね……
どこかの 小さな店を やる事は できるかも 知れない
でも そんな事
彼女には 耐えられ なかったんだろう
噂を 聞きつけた 数知氏が
友だちの家に 身を寄せていた彼女を 見つけ出した頃には
彼女は心身共に 疲れ果てていて
心療内科に ゆだねたものの

いらない
子どもなんていらない
元の私に戻して――
専門医を何人も日本から呼び寄せたようだけど
数知氏にもそれ以上どうしようもなかったようだ

このままでは
育児放棄で
子どもを
殺してしまい
かねない――と
病院側の
判断もあって
夢摘さんも
強く希望して
すぐ
数知氏は
友人から
提供された
プライベート
ジェットで
こっそり
日本に戻ってね
出産後
息子は
数知氏が
ひきとって
日本で
育てる事に
なったんだ
メディア側は
全く
遅れを取って
追いかけ
られなかった
それ以来
坊っちゃまは
あの
大きな繭のような
屋敷の中で
大切に大切に
育てられて
いるんだ
あ？
夢摘さんの
ご家族は？
元々
パティシエに
なる事に
反対されてて
勘当同然に
家を出た
らしいから
連絡を取る気は
なかったんだろう

数知氏も
うさんくさい大金持ちの放蕩息子扱いで嫌われていたようだし
あ…
やっぱ一般市民の家族にはウケは悪いよ
私
クリスマスパーティの時に夢摘さんらしき人に会ったみたいなんです
たぶん…
へえ
日本に帰ってたのか
──
確か
店には戻れたようだよ
数知氏が手をまわしたようだね
もちろんすっかり治って昔の味らしい
このあいだオレの友人も行って
あいかわらずの混み具合だと言ってた
良かったですねぇ…
じゃあ
もう落ちついたから
きちんと考えるようになったんでしょうか
坊っちゃまの事
──
もし
パーティの夜夢摘さんが来ていたと知ってたらだんな様は
坊っちゃまに会わせてあげただろうか
──?

うーん
そう簡単に会えないと思うよ
えっ
数知氏の弁護団のことだから
きっちり取り決めはしたはずだ
中学生になるまでは二人きりで会わない——とかね
あ……
ただ息子に会いたい——ってだけで気がすむならいいけど
叶夢ちゃんは
今夜は——

え
森永さんを呼び戻せ——?

はい 彼女の仕事も 身の回りの事も 私たちが フォローいたしますし
あなた方は もうすぐ いなくなって しまうのに
なぜ 突然 そんな事を——
それでは 途中から 次の人たちに 森永さんの 世話を 押しつける事に なってしまいますよ？
だ…… だって
このまま 森永さんが 来れなかったら
他の人が 子守メイドに なってしまいますよね？
それは あなた方が 心配しなくても 良い事です
元々 森永さんに なれるかどうかも わからない 事ですし——

でも
坊っちゃまのために
ケガをしたんですよ!?
あれが
私たちや自分や
だんな様のためでしたら
彼女は動かなかったでしょう
でも
坊っちゃまが
暗闇の中で泣いてると思ったからこそ
――
あの気持ちに報いてあげるどころか
ケガをしたのは自業自得だと責めるだけなんて
森永さんがかわいそうすぎます!
南場さんの事ここのご家族の事見損ないました
ちょっと
言いすぎだって
だって…
あの!
私残ります!!
え

今年も　このまま　ここで働きます!!
森永さんが復帰するまで　坊っちゃまのお世話は　私がいたします
えっ
え――
……
それは　留年するという事ですよ？
ご両親も　卒業を楽しみにしてくださってるはずなのに
ええ　大丈夫です　私が決めた事ですし
はい！
私　壱乃蔵沢も残ります
もし森永さんが戻ったら
ちゃんとフォローもします
だって仕事も　森永さんにまだちゃんと教えてない事もありますし
森永さんが次の人を指導できるとは思えません！
絶対　南場さんだって　私たちがいた方が楽ですよね？

どうせ ここを卒業して すぐやりたい事も ないし
すぐ 結婚できる アテもないし
あの… 私も…です
…
みなさんの お気持ちは よくわかりました
まさか みなさんが そこまで 森永さんを 認めているとは 思いませんでした
――あなた方には 言っておかなくては なりませんね
これは まだ 私だけの 考えですから ここだけの話と 聞いて 下さい
私は 森永さんを 子守(ナース)メイドに するつもりは ないのです

この**6巻目**は私にとって**ムチャ**記念すべき!!巻になりました。

のお話②

30章を初めてデジタルでやった!訳です。

アシさんたちは すでに それぞれが デジタル作業が
できたとは言え、集まって1本の作品をやった事がなかったので
データの共有作業のノウハウを その場でバタバタと学んでいるようで
「△△するには○○をやってから××した方がいいんじゃないかな。」
などと もう カタカナの会話が 行きかっていて 合宿所のようです。
私は ただ 人物ペン入れして トーンや背景の指定をした後は
アシさんに丸投げ状態なので、
今、作業がどこまで進んでいるのやら? と ドキドキしています。
まったくわからず

まだまだ 手さぐり状態なので
ミスも多いです。
「今仕上げたレイヤーがない!」
「スキャンした背景がない!」等々
叫び声がきこえない日はないくらい。
ちゃんと確認したはずなのに
編集部に送った後で知らされるミスも
多いです! 多いです!!
「白いページが来ました。」とか
「まっ黒いページが来ました。」とか。
担当さんも 印刷所の方々も
迷走っぷりに頭をかかえている事でしょう。

記念すべき1回目の大ポカ!!
背景の線が人物をつらぬいてます。

このコミックスでは
修正済!!

もうしばらく
生暖かい目で
見守って下さい・・・・。

いつもありがとうございます。
そして いつもいつも申し訳ありません!
ははは。

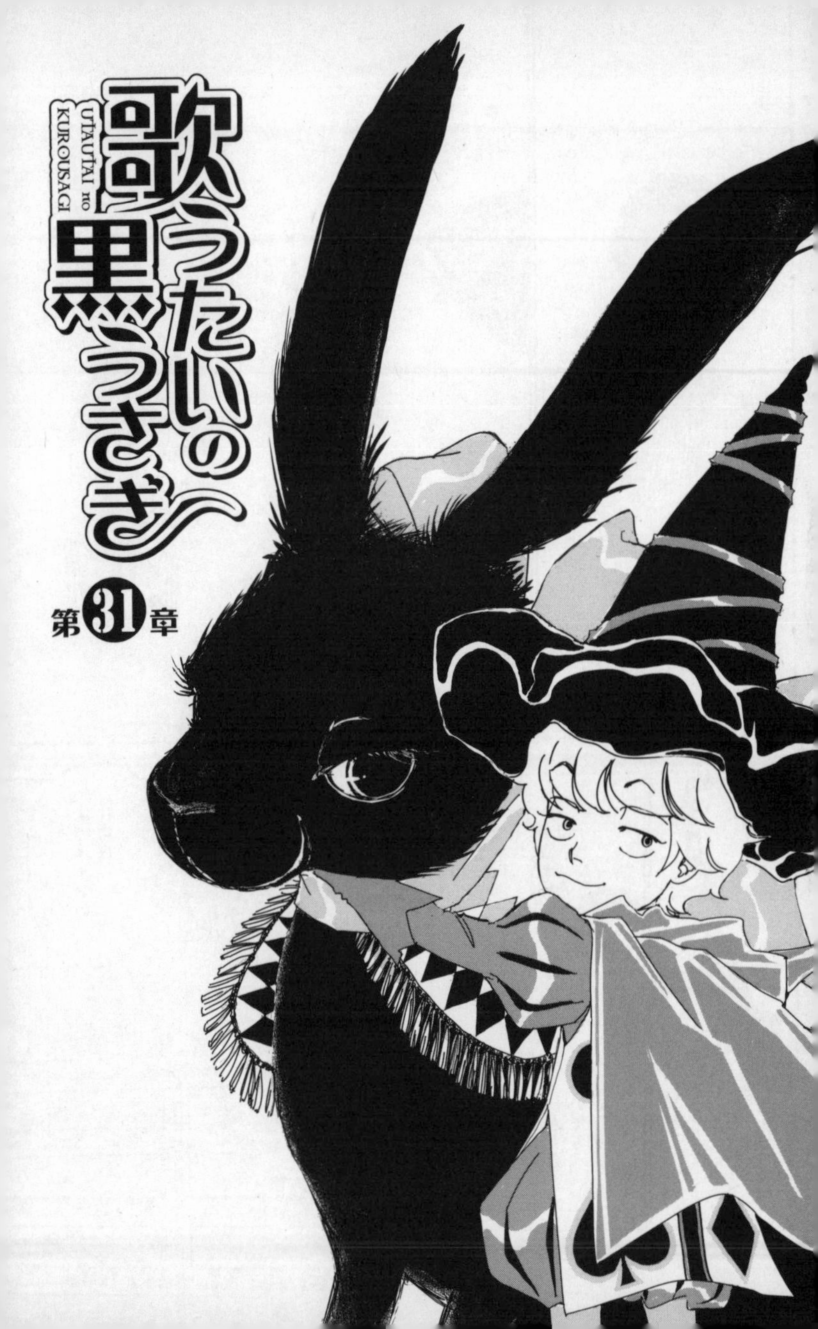
歌うたいの黒うさぎ
UTAUTAI no KUROUSAGI
第31章

……それは
森永さんが子守メイドにふさわしくない――って事ですか？
みなさんも知っているように
森永さんは毎日の仕事をきちんとこなしているようには思えませんし…
子守メイドの仕事は
ただ坊っちゃまと遊んでいればいいというものではありませんよ
日常の作業もこなせなくては
でも仕事なら
もともと森永さんがいない状態が長かったから
森永さん一人くらいいてもいなくても
その程度の働きですか――
あー

私は
森永さんが
入ってくれて
よかったです
子守メイドとしての
自分の仕事を
押しつけて
楽してるって
言われそう
ですけど
でも
森永さんと
いる時の
坊っちゃまは
本当に
楽しそうで
嬉しそうで
お屋敷の中を
森永さんを捜して
パタパタ
走りまわる
小さな
足音とか
私たちが
来た頃は
いつも
青白い顔を
していたのに
今は毎日
ホッペを赤くして
笑っていて——
それが
見れるだけで
充分です

森永さんが
他に何も
できなくても
そんなの
たいした
問題じゃ
ないんです

あなた方が
みな
坊っちゃまのために
それぞれ
できる仕事を
してくれていたのは
知っていますよ
坊っちゃまが
ころばないように
庭の小石を
拾ったり
家具の
ささくれが
ないように
気をつけてくれたり
私の目も
行き届かない
ような
細やかな事にまで
注意を
向けてくれて
感謝して
います
みなさんの
気持ちも
よくわかりました
もちろん
このまま
残る事も
自由ですよ
卒業までに
よく
考えて
個別に
私の所へ
申し出る
ように――

残る以上
一年目のように
ただ
言われた事を
やるだけで
いれば良いと
いうわけには
いきませんよ?
それぞれが
次の者たちに
教え
お手本と
ならなくては
なりません
そして
その者たちの
失敗も
あなた方の
責任と
なります
はい!
その覚悟で
二年目に
臨まなくては
ムダに
一年を
すごしてしまう事に
なりますよ
ねえ
本当に
残る気?
イキオイで
言っちゃったん
でしょ?
あ
ううん
本当に
それは
考えてたの

それより あれって どういう事なのかしら
私は森永さんを――
子守メイドにするつもりはないのです
自由な立場で坊っちゃまの遊び相手を
役に付かせるより――って意味だと思ったわ
あー
……そうかも
回想シーン
でも それなら
何もメイドじゃなくても ねえ?
前のように
好きな時に来て坊っちゃまと遊んで帰るって方が良かったんじゃない?
そうよね やっぱり
森永さんは
好き勝手でいて欲しいわ
その方が
きっと坊っちゃまも幸せのような気がする
あ
それ森永さんが
ブツブツ言ってたの聞いたことあるわ
何でメイドになっちゃったんだろう
坊っちゃま以外の事は
疲れるしメンドーだ
……

だんな様
先日書類をお見せした通り
この三月で屋敷の警備をまかせている警備会社と契約が切れます
継続しないの?
どうも植松さんとも折り合いが悪くて
庭の50ヶ所に監視カメラなどと
無粋なモノは願い下げですな
そんなモノをつけるくらいならワシが寝ずに見まわりをいたしましょう!
コポコポ
植松
植松
あーあれね…
屋敷の外壁にも50ヶ所だろ?
そこら中から監視されるのもねえ…
広うございますのでいたしかたないと…存じます
〝こちらの警備計画に
全く協力できないようなら〟
〝今後何があっても責任を負えないので
契約は続けられない〟と

見積書通りの実費も払うから
ちょっと融通きかせてくれりゃーいいのに
ねー?
その甘い警備のせいで
以前
メイドさんが一人屋敷内でありながら万乃愛（まのあ）様にさらわれた事をお忘れでしょうか?
あー
この機会に
きちんと考えていただきませんと
大切なお嬢様方をお預かりしているのですから
植松さんが
庭師仲間から評判のいい警備会社の噂をきいたそうです
そちらと連絡を取ってもらいましょうか?
どこも同じだろうけど
まかせるよ
だんな様いけません
同席していただかなくては
えー
めんどくさい

あー
聞いておりますよ
その
警備会社の
連絡先ね
どうでしょうなあ
かなり
客を選ぶ
らしくて
――
ほう
それは
頼もしい
南場さん
隠れて！
坊っちゃま
ですぞ
え？

手紙
―?
黒ウサさん
宛ですよ
ワシが黒ウサさんに
手紙を出して
差し上げますよと
以前
言った事が
ございましてな
ほら
みなさんには
内緒で
こちらで働いて
いた時の話ですよ
昼にも
夕方にも
日に何通も
手紙を出して
いらっしゃって

森永さんは
まだ
戻りませんかね

この手紙
ワシが
お預かりいたし
ましょう

いえ
それには
およびません
私が！

ライバル

あの人は
どうも
フラフラと
気まま
ですからな

私はもちろん
戻ってもらう
予定で
休みを取らせ
たのですよ

それが
きちんと
彼女に
伝わったか
どうか
——

ブツ

そんな事を
言っては

ブツ

朝になったら
きちんと伝えようと
思ったのに
私に黙ってさっさと
出て行ってしまうし…
まったく落ちつきが
ないったら…

ブツ

坊っちゃまが
心配なさい
ますから
何も
申しませんが

だんな様からも
何度も
いつ戻るのかと
聞かれるし

南場さんでも
自信がないと
おっしゃる!?
こりゃ
驚いた

うしゃしゃっ

あ、いや…
—それに
しても

そりゃあ
板ばさみで
大変で
ございましょうな

まあ
でも
南場さんが
心から
おっしゃったの
でしたら
ちゃんと
伝わって
おりましょう

本当に
戻って
もらわなくては
困ります
もう
あの子が
いなかった頃の
お屋敷には
戻れないの
ですから
では
警備会社の件
お願い
致しますよ
そう
まわり
くどい
言い方をせずとも
ただ単に
いないと
さびしいとか…
ちなみに
ワシャー
さびしいですぞっ
永森子
おまえ
本当に
何か
大きな失敗して
追い出されたとかじゃ
ないだろうな
その…
ニレヤシキって
家を…

450万のツボ割った事？
保険に入ってるって言ってたよ？
450万!?
あっ言っちゃった
そうか保険か
いやしかし…
きちんと全額戻る契約かどうか確かめた方がいいだろうな
そしたらあそこでずっと働いて返せばいいのよね
あらラッキー
…それラッキーなのか？
うん！モンダイない!!
で？なんで突然？
……
実はな父さん
公私混同をするかも知れん
人生初のっ
え
どういう事ですか
聞き捨てなりませんねお父さん
えっ
おっお帰りっ
ただいま帰りました

……いいじゃないか
もう現場に出てないんだし……
そうだよっ
父さんはもう駅前のノンキな通行人と同じなんだよ？
ティッシュだって人目を気にせず3つも4つももらえるんだよ!?
うんうん。あれはうれしいね。
前から気になっていたんだ。でもそんなにはいらないなぁ……
……
で？
何ですか？
公私混同って
とりあえず着替えておいで…
オレは逃げないからね
スターク警備の者ですが——
あ
はい
どうぞお入り下さい

植松と申しまして
こちらのお屋敷で庭師頭をさせていただいとります
まず 私が庭をご案内するようにと
申しつけられておりまして
松
ええ もちろん庭師の方々のご意見をうかがうつもりでした
お屋敷の警備の要は庭からですから
庭師の方々にまず
屋敷の死角を聞いておけ——って
言うのが 上司のログセなんですよー
庭は いつもそこを歩いている者にしかわからないから
まさにお庭番ですよね
オレら カッコイイ 仕事やってたんスねー
おやっさん!
この男…何者だ!?

そうですね
もちろん
威嚇のための大きな監視カメラは必要かと思いますが
小さくても高性能の暗視カメラがございまして
これのカタログは……
あ 本日ご用意してあります
たとえば鳥の巣箱につけたりー
夏に葉が茂ってカメラの視界をさまたげないようにしていただいたりの
管理はお任せいたします
それから……
あ？
ほーっ
ツリーハウス！
大人も上がれますか!?
どうぞどうぞ
しっかり作りましたので！
象が乗ってもこわれませんぞ
ほお
あの背がでかい人
カッコいいっスねー
オレらにもちゃんと説明してくれて
任せてくれるとかってカンドーっス
なんか…
誰かを思い出して
親しみやすいって言うか…
…あれ？

え
森……
STARK
森永麗
家政婦長の南場でございます
屋敷内の事は私がご説明いたします
だんな様警備会社の人が来ましたので―
えーやっぱ同席しなきゃだめー？
TIME
あ着替えはいいよいいよ
えーでも南場さんが…
所蔵している絵画や美術品の多くは
世田谷（せたがや）の楡（にれ）美術館などに展示してございまして
こちらのお屋敷に保管してありますものは
代々伝わっているものか

若い作家の援助と育成の目的で
統主が買い上げたものでございます
すでに値が上がっている作品などは——
あ!?
だんな様！
どちらへ!?
今っちょっと庭にね…
あれサギかなぁ
……
お待ちしておりました
統主の楡屋敷です
スターク警備社の——
え!?スターク警備社!?
えー
お噂は伺ってますすよ

警察のOBが作った会社で
政界や財界のVIPご用達の会社ですよね
なぜうちのようなうさんくさい一族の屋敷を見てくれる事にしてくれたんでしょう?
え…
…と
それは
私からご説明いたします
楡屋敷様のお宅は
正直言って
契約はさけたいお屋敷です
庭も邸宅も広大な上に
人の出入りも多い
にもかかわらず
お屋敷の方々には
危機管理意識が全くないように思えます
あ――……
面と向かって口にされると泣けるな~~
あー
それ言っちゃダメって言われてきたのに…

お屋敷の方々の
ご信頼と
ご協力がなければ
充分に
警備はできないと
いう事です
でも
今までも
非協力な
屋敷は
多く扱って
まいりました
ですから
――
むしろ
やりがいが
ございます
聞けば
こちらでは
資産家の
お嬢様方を
行儀見習いとして
お預かり
していらっしゃる
そうですね
その
お嬢様方の
ためにも
そうではない
娘さんの
ためにも!!
そうではない?
?
?

私ども
スターク警備に
お任せ
いただけません
でしょうか
お屋敷の方々が
深夜
眠っている間も
日中
眠っている間も
ご安心下さい
私たちが全力で
お守り致します
すばらしい
とにかく毎日
寝ていても
いいんだね!?
えっそこがツボ？
その言葉を
待っていたん
だよ!!
え…と
個人邸宅
担当課の
伏見(ふしみ)さん
──？
あ
私です!!
あ
じゃなくー
あ
警備総合
管理部門
総括部長
──って
長っっっ
森…
永？
麗人──!?
え？
あれ？
何しろ
社の半分が
役付きなので
役職名がもう
ムダに長くて
イミフなんですよっ
長くて
申し訳あり
ません
ピク
※それは普段おまえが思ってるコトなんだな…？

はい
この外見に似つかぬ名前ですが――
え
まさか飼い犬がチヨ子!?
は?
あ
いえ
あ
違いましたか!?
いや
てっきりうちのメイドの…
いやまさかそんな偶然はありませんよね
あははは…
母の若い頃の飼い猫がチヨ子だったそうです
えええええっ
じゃ
じゃあなたはやっぱり!?
あ
はい
ご挨拶が遅れました
娘がこちらでお世話になっているそうで…

しっ
しっ
しばらく
お待ち下さい!
ガチャ
すぐ
着替える!!
はいっ
ただ今っ
バタバタ
着替え?
今さら
改めて
お嬢さんの
お父さんに
ご挨拶って
コトですかね
あっ
いえ他に
深いイミは
ないですよ?
ふふふ
わかっているよ
ふふふ
ふ…
あっ
南場!
たいへん
たいへん!
はい?
あのヒト!!
でかい方の!!
黒ウサさんの
お父さんだった!!
え
あ?
あ――
!!
叶夢どこ!?
教えて
あげないと!
えっ
えーっっ
見たいいいっ
パタ
パタ
かっ

ニヤキーーー!!
失礼致しました。
統主の検屋敷です
おーっっっ
叶夢が生まれてからずっと反抗期の息子が
ヒナのように後をついてまわって彼女の言う事だけは聞くんですすよ
…………そうでしたか
娘が高価な壺を割ってしまったとの事で
それが原因で復職できないのでは——と
つい仕事にかこつけてこちらの様子を調べに来てしまった訳で
申し訳ありません
えっ
じゃあまさかここの警備を受けてくれるというのは——

いえいえ！
それは！
もちろん
わが社としても
この度のお話は
公私混同の
バカ親と
そしられようと！
じゃあ
………
あー
よかった
はい
宜しく
お願い致します
では
早急に
社に戻って
——
こちらを担当する
チームを編成して
警備計画をまとめ
後日
改めて
伺います
その前に
この
資料を…
ああ
大丈夫
大丈夫
え
そちらに
全面的に
お任せしますし
数十枚もの
計画書や契約書を
見たくもな…
ゴホ!!
あっ
ま…
後まわしで
そのまま先に
進めていただいても
南場は？
はい
だんな様が
そう
おっしゃるなら
それで…
警備を
おまかせするには
早い方が
よろしゅう
ございますし

はい？
全面的にまかせる 計画書も見なくていい
もう口約束で
こ・・・これが
世に言う
甘いワナ・・・・
それで問題ないかと……
計画通りにいくとは思えませんし
変更の度にだんな様に立ち会っていただく訳にもまいりません
いえ
いくら娘がこちらでお世話になっているとは言え
まあまあ いいんじゃない？
公私混同で
申し訳ございません
そのお言葉だけありがたくいただきたく思います
もう
しかし…… ご理解下さい
ゆるして下さい…
うわー…黒乃井さんと親子とは思えないマジメさ…

ガッカリ
じゃあ森永さんがたびたびここを見に来るという条件でっどうでしょう？
……あ
はい
宜しくお願い致します
おっ
来たな叶夢っ
おやじ何の用だよ！
オレ昼寝するから早く言えよっ
こちらは息子の叶夢です
あれ？今日はもう昼寝したんじゃ……
あそうか
寝ためしてるんだっけ
寝ため？
黒ウサさんが帰ったら昼寝なしで一日中遊べるように——らしいですよ？

おいボーズ
あのおじさん
誰だと思う？

大人ってさ
そういう質問
よくするよな――

〝しってる〟とか
〝おぼえてた〟って
ゆっときゃ
いいんだよな…

ははは
ですよ
ねーー？

も一回
も一回
ゆってみて!?

はい？
ですよねー？
……？

黒ウサと
おんなじ!!

ですよねー
が!!

おおおお〜〜!!

父です

初めまして
叶夢様
娘がいつも
お世話に
なって
おります

黒ウサ
もう こないから
かわりに きたのか？
いいえ？
違いますよ？
お父さん的にはメイドさんは
女の子の方がしっくりくるな…
黒ウサさんの お父さんは
今日は お仕事の 話で 来てくれ たんだよ
黒ウサ
オレのこと
………
怒ってるよな
え
坊っちゃま そんな……
どうして ですか？
だ
だって オレ
ありがとう ゆうの
忘れてたし
……
起きたら ゆうつもり だったのに!!
オレのせいで ケガしたから
オレ
くらいの きらいって ゆったから
黒ウサ
たすけに きてくれて
——
ケガしたのに

坊っちゃま
娘は　とても叶夢様に会いたがっておりましたよ
ホント――？
おじさんは昔おまわりさんでしたから　嘘ついた事はありません!!
あ　やっぱり……
オ～　オレ…

オレ　くらいのきらいってなおすからって
ぜってーなおすからって
黒ウサにゆって？

だから
帰ってきてって
ゆって――!!
黒ウサに
あいたい
い――
坊っちゃま
もうすぐ
帰ってきますよ
なんかもらい泣き
永森子は
坊っちゃまの事が
大好きですよ
グス
……？
……？
えりこって
だれ？
………

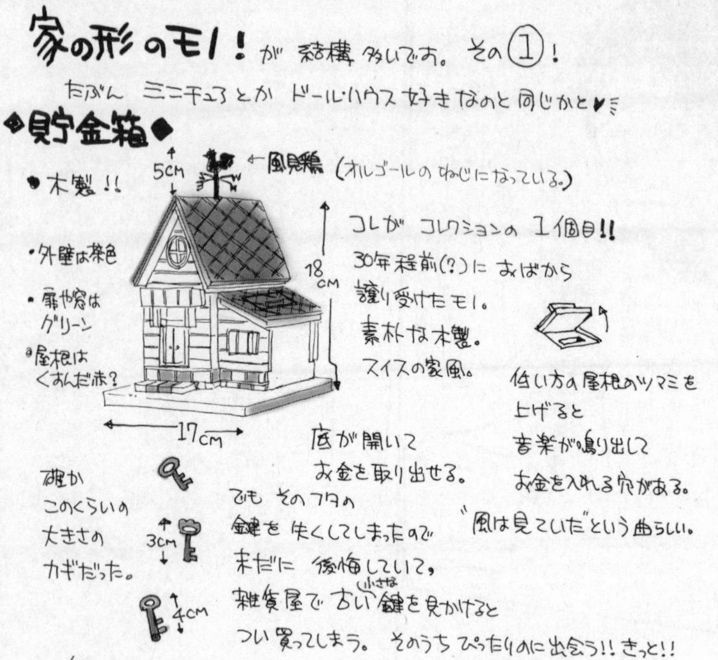


手に入れた 由来を 聞けば 良かった…（おばはもう他界しましたんです‥）

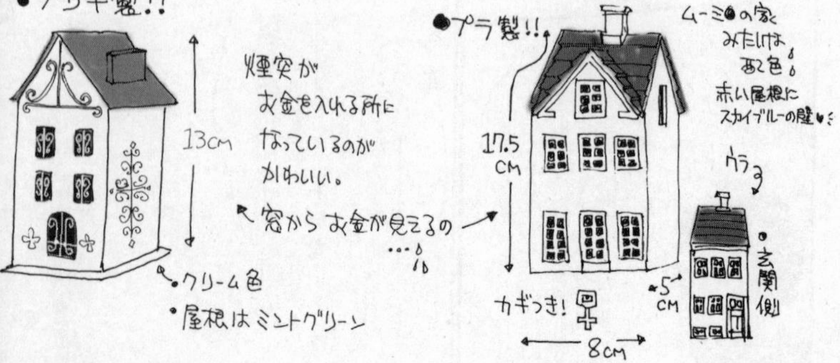

歌うたいの黒うさぎ
UTAUTAI no KUROUSAGI
第32章

ぜひ
夕食も
ご一緒に
ありがとう
ございます
しかし 早く
社に戻って
諸々の手続きも
いたしませんと
それは
残念
では
次の機会に
――
で
次は
いつ
来ていただけるん
ですか？
はい
今月中旬
までには
必ず
え
中旬…
警備計画書には
充分時間を
いただいて
おりますので
一週間は
――
いや
もう
身ひとつで
仕事ヌキで！
ぜひ
いっそ
家族全員で
――
あ…
ありがとう
ございます
………

ご迷惑をおかけして申し訳ありません
娘はまだしばらくの間自宅で治療を続ける事になると思います
私どもとしても早く戻って来て欲しいのですが
ご自宅でゆっくり治すのが一番かと思いますので
そうお伝え下さい
あれ？叶夢は？
まだどこかで凹んでるのかな……
坊っちゃまはまたお昼寝に戻られました
えっまた⁉
黒ウサさんが戻ったら本気で昼寝しない気だな……
早く戻ってくれないと生活のリズムが狂うんじゃないか？
プレッシャ〜

では
娘にも
経過報告をさせますので
バタン
キュ
だんな様!
今 車に!!
後部座席に!!
あ——
……見た…
見なかった事にしよう
え
でも!

聞きしに勝る資産家のお屋敷でしたね…
現実離れしている…というか
…………
あれどうかしました？
壁の中に秘密の地下通路と
秘密の使用人用ドアと
秘密の地下倉庫…
う――ん…
えっ
そういうのどうするんですか!?
カメラ入れたら秘密になりませんし…
やっぱり
どこの警備会社も二の足踏む訳ですね
…………
あれ？
えっ
えええ!?
え？何だ
ちょちょっと車止めるとこ
あ あった
キキ―!
月村
契約

部長 後ろ見て下さい…
え
あっ
坊っちゃん!
おう
いつの間に!?
大丈夫だ! シートベルトは自分でやった!!
ちゃんとカチャって音した!!
いえっ それはえらいですが
そういう問題ではなく
ってかまだチャイルドシートのトシ……
忘れてたぁチャイルドシート!!
これ 誘拐とかになりますかね…?
オレの未来はもうないですよね…
う…う…
こちらが気づいた時点で戻せばまだ大丈夫だ!!
チャイルドシートは…

あの！　もしもし!?
今ですね
私どもの車に
叶夢様が…
すぐ
そちらに
戻りますので！
え？
え
しかし
………
あの！
では
失礼いたします
どうし
ました？
怒って
ますか？
いや
戻らなくて
いい
——って
えー……
夜には
うちの方に
迎えを
行かせる
——って
うち
……って
あ
森永さんの家
ですね
いいって？
ゆってた？
…はい
……
黒ウサのとこ
遠い？
オレ
ねてた方が
いい？

最寄り駅で
降ろしてくれ
坊っちゃまと
電車で行く
え
坊っちゃまと
電車なんて
──大丈夫ですか
電車!?
オレ
のったこと
ねー!!
あ…ほら
この先に
レンタルグッズの店が
あります…
そこで
借りましょう!
おおっ
大切な
大口顧客の
ご令息です
万全に
備えないと!
おまかせ下さい!
おまえ
イガイと
できる
付き人だな
付き人……
ありがとう
ございます…
黒ウサも
よく
おまかせ下さい!
ってゆってる
あ
そうなんですか?
でも
それは
でまかせくさい
──ってイミだって
みんな
ゆってる
やっぱり
ぶ

ただいまー
え
何
どうしたんだい
こんな昼間に!!
わかった!
会社
クビになったね!?
また
上司に
意見でも
したんだろ?
ちがいますよ
乙
おまえと
いう子は
……
ーーん?
おーい
永森子
ーー
え!!
おかえり
なさーい
トントン
トン
今日は
何なベーー?
おまえに
お客様
だよーー
え?

坊っちゃま!?
黒ウサ――っ

ストップ!!
!?
坊っちゃま
靴！靴!!
あ
おっと
手伝い
ましょうか
あ！
坊っちゃま
コロ
ふへへへ
へへへへー
ぬげます？
大丈夫だ！
…
コロン

で？どうしてうちに？
まあいろいろな……
じゃ伏見を待たせてるから仕事に戻るよ
あ夜には迎えの人が来るらしいから
お父さんありがと〜〜〜
ありがとな!!
坊っちゃまこれは私のおばあちゃんですぅ
あっ！キャラメル好きな人!?
こんにちは叶夢です
ま――っ
これはごていねいに……
カステラでも食べますか
……た食べる――
な―な―カステラって？
あカステラ？
え―とスポンジケ―キ？シフォンケ―キみたいいな？
坊っちゃまきっと好きですよ

カステラ
カステラ!! よし おぼえた!!
カラ…
おあーっ こたつだ!!
右側に座って下さい
そこが私の席です
じゃ オレ そこの隣!!
お屋敷では席決まっていませんよね?
好きなとこにすわる!
たいていの家は テレビの正面がえらい人が座る席ですよ?
あ お屋敷の居間にはテレビがないか……
フワフワで ジャリジャリがおもしろい
うまい――
ジャリジャリはザラメ
お砂糖ですよ

お屋敷
何か
変わったコト
ありますか？
え——？
別に？
メイドさんたち
もう
卒業しちゃい
ました？
えー？
まだ？
…あれ
そうなん
ですか？
やっぱり
新しい人
入らないの
かしら…
えー？
さあ？
坊っちゃま
無関心
すぎですヨ？
え——？
黒ウサ
いねーし
つまんねーんだ
もんっっ!!

坊っちゃまは何してたんですか?
あ!オレねねてた!
えっまた熱で!?
ちげーし!ねためだ!!
オレもうすげーねた
昼ねとうぶんしなくていいと思う
え——…?
黒ウサ帰ってきたらずっと遊べる!!
昼ねなしだ!
あ!それで寝ためですかー
いい考えですねー
だろー?みんながホメてる!!

ただいまー
ダダダッ
おっかえりー
!?
おかえりなさーい
何？
近所の子？
？
違うよ
また
お父さんが
拾って来た
は？
おー
これが
にーちゃんかー
ちげーし！
オレ
さらわれたんだ
えっ

噂の
楡屋敷の
坊っちゃま
だったら
いくら
要求しとく?
ははは
おばあちゃん
まで……
何の心理
ゲームですか
お兄ちゃん
オレ
カバン
持つ!!
コートも
持てる!!
う――
ずりりり
あー
つかれた
けっこ
おてつだいって
たいへんだよな――
でしょ――?
でも
ありがとうって
一言 声をかけて
もらえたら
もっと
頑張れるん
ですよ?

ほら
おまえも
え？
あ？
こんなに小さい子におまえのムダに重い荷物運ばせたなんて！
勝手に運んだくせに感謝を要求するとは……
ありがとうございました
大変たすかりました（棒読み）
いただきます
まー
こんな小っちゃい子にブアイソな
大丈夫だ
ふつうだ
黒ウサもブアイソだ
……
オレはなれてる!!
気にするな～
こ～……
この人ほどじゃないですヨ～
……
で
本当に
どこの子預かったんだ？
ほら坊っちゃま
お名前を教えてあげて下さい
オレは
にれやちきかなむだ
あ？
今まちがえた!?
今まちがえた気がするっっ
大丈夫!!
あってましたよ～
だいたいは……

え
え!?
で
お父さんは
どこ行ったんだ?
仕事
あるから
――って
坊っちゃま
置いて
出てった
それ……
ドキ
いっぱい
集めてるなぁ
そんなに
好きか?
ニンジン
じゃあ
オレの
ニンジンも
あげよう
ぎゃーっ
え――
………
黒ウサの
兄ちゃん
南場みたいだ

南場――？
ガチャ
ただいま――っ
あ
あ！オレ
カバン持つ！
おかえりなさーい
坊っちゃまただいまです
ピーンポーン……
……
……
大変お世話になりました

公平にジャンケンの三回勝負でやったら勝っちゃったので
え――
ミ～……
……
僕がお迎えにあがりました これおみやげです
植松さんから 何か植木
南場さんから ケーキできたてです
こっちはだんな様から ――何だっけ 日本酒？
そんな！ かえって申し訳ありません！
日本酒はお嫌いでしたらおつかい物にでも――と申しておりました
――で 失礼ですが あなたは――
申し遅れました 楡屋敷で叶夢様の遊び相手をしております紺谷充悟と申します

永森子の兄です
永森子がいつもお世話になっております
こ
こちらこそ
さ
さ
坊っちゃま帰りますよ
え――
もう？
坊っちゃまだって
いつまでも帰らないお客はイヤでしょう？
あヤダ…
おばあちゃん
ごちそうさまでした
おそまつさま
黒ウサのお父さんもお世話になりました
はい
またいらして下さい
黒ウサの兄ちゃん…
………
さようなら
ほー…
コメントなしかい…
坊っちゃま
黒ウサ
楽しかったですね

楽しかったけど
帰り
車に酔ったり
熱を出したり
しないように
して下さいね
大丈夫だ！
酔わない
おまじないを
言うから
ああ
あれですね
おぼえてました？
歌わないうさぎは
誰のため
歌ううさぎは
私のため
早く治せよ――
早くな――

はあああああ。
うっとおしいなぁ
……
あ・あ・あ・あ・
こいつのケガが治って出てくまで
ずっとこれを聞いてなきゃならないんでしょうかね
あーやだやだ仕事から疲れて帰ったのに
ずーっとこれ!?
………

温泉でも
行こうかなー
あー
行け行け
早く治るかな
そうしろ
そうしろ
よしっ!!
草津の湯にでも
入って来るか――
えっ
今から!?
入浴剤～
そう言えば
仁人
はい？
おまえ
なんで
そんなに
楡屋敷の人間を
目の敵に
するんだい？
え
別に
……
ただ
……
ちょっとねぇ
父さんだって
知ってるでしょ
うーん
まあ
……

だいたい資産家っていうのは
何をしても金がらみだと思えてきちゃいますからねぇ
統主が海外を行ったり来たりふらふらしてて
数年前
知人の力を借りて
中東の某国の外務省経由で
帰国した事がありまして
大さわぎでしたよ
おまえが家でそんな話するなんて…
めずらしいなあ
いえ
これ普通にネットの経済ニュースでも取り上げられてました
週刊誌のネタでもありません！
実は
ニュースで報じられたから
我々も動かざるをえなかったという
上としてはふれないようにしていたかったらしくて
………
動いたの？
まあそれも
動いたフリ止まりです

どうせ
捜してみたところで
何も
出なかったんじゃないのかねぇ
ええ
まあ
あそこの統主のする事は
犯罪や
政治がらみじゃなく
芸能情報に
近いから
そんなに
重要視はしてなかったん
ですけど
でも
あんな
プライベートジェットでコソコソ帰国されちゃあ…
それって
ガラー！
おっ!?
わっ!?
だんな様が
坊っちゃまを連れて帰国した時の事でしょ!?
何だ
草津に行ったんじゃないのか？
ごまかすな!!
……
そうだよ
それで
新生児
売買か!?
――とか
母親の生死の
確認を――って
大さわぎだったんだ

でも
やり手の
弁護士たちが
予想したように
仏語と英語と……
三ヶ国の
書類を
提出してきて
何日もかかって
それを調べる
だけで
捜査する方も
やる気なんて
どんどん
削がれていって
——
あの一族は
犯罪を犯して
いくばくかの
金を稼ぐような
バカな事をしなくても
あと百年は
のん気に暮らして
いけるそうだね
そんな話を
聞けば
よけい
何かしらの
裏の面が
あると考えても
無理ない事
ですよ
なのに
全く…
何でしょうね
〝金持ち
ケンカせず〟って事
でしょうかね？
何か…
つい
こう…
楡屋敷ときくと
いやーな
気分になってね…
うん それは
完璧に
言いがかりって
状態だね
ひどい〜

その赤ン坊は あのまま 屋敷に かくまわれて 一生世間の目に ふれる事は ないんじゃないかと 思ったのに
まさか この家で 隣に座って 同じ鍋を つつく事に なろうとは 感慨深いものが あるよ…
ただ 単に にらんでた 訳じゃ ないのか…
それにしても ―― 過保護に 育ったもんだ
あの口の きき方といい ―― 物おじしない 態度といい ――
そうかねぇ いい子じゃ ないか
おばあちゃんは 悪ガキが 好きだからですよ
足で あけてる
仁人も おまえも 優等生 すぎて 楽しく ない…
仕事が 仕事なんですから
おもしろく ないとか 楽しくないとかっ そういう 問題じゃ… おばあちゃんは いつもいつも…
また!?
は～
坊っちゃま 無事に ついたかなぁ?

まあ　いずれ
屋敷を出る日が来るだろう
その時に昔の事を掘り返す連中が現れるだろうが
あいつがあのまま
あの強気のまま
恐いものなしで育っていけば
何にだって負けないだろうな
そうか……
そうだよね

manu- of setbacks since five months of setbacks since five months that history could well repeat
大丈夫 あのまま 育てるから!!
坊っちゃまは 私が守る!!
・・・
年ゴロの娘が BFとかっ 恋人とかっ 結婚相手さがしより 先に 他人の 子どもを 育ててると……
父さん フクザツ…
いや もう 年ゴロじゃ ないですよ お父さん…
おまえだって 人のコトは 言えないんじゃ ないかい?

# 家の形のモノ!! その② ～っ!!

その他 イロイロ～

厚紙製!!

歌うたいの黒うさぎ
UTAUTAI no KURO-USAGI
第33章

…坊っちゃま
……

なに
なに
なに
——!?
ドドドドドド
作業中
私の後を
ついてまわっては
キケン
ですよ?
と
う
ぐうぜん
とーり
かかっただけだし!
じゃま
したな!
後ほど
お茶に
呼ばれて
おりますので
その時に
永森子の話を
いたしましょうか
マジで——!?
じゃっ
な
——っ
早く
なーっ

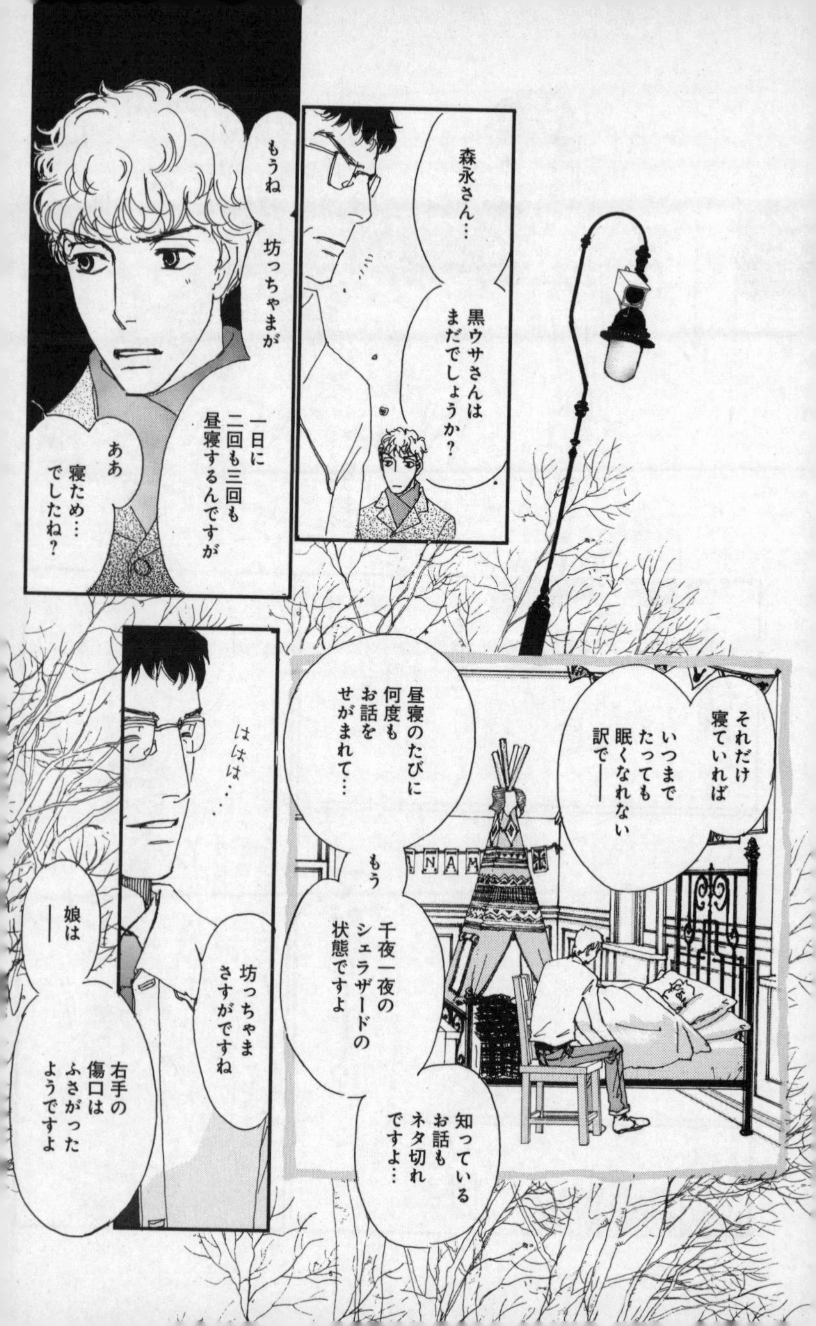
森永さん…
黒ウサさんはまだでしょうか？
もうね 坊っちゃまが
一日に二回も三回も昼寝するんですが
ああ 寝ため…でしたたね？
それだけ寝ていれば
いつまでたっても眠くなれない訳で──
昼寝のたびに何度もお話をせがまれて…
もう千夜一夜のシェラザードの状態ですよ
知っているお話もネタ切れですよ…
ははは…
坊っちゃまさすがですね
娘は──
右手の傷口はふさがったようですよ

左手のヒビの方はまだかかるそうですが
痛みはもうないようです
おー
──って話でしたよ
それならもう大丈夫じゃありませんか？
だそうだよ南場？
では…
来週にはこちらから連絡をしてみましょう
え…来週………
まだまだですかい…
一日で一お話を五話分くらいとして一え一と…
それまでに応募してきているメイド見習いの面接をしなくてはなりません
書類見たけど…何か問題ないなら
いいんじゃないの？全員入れりゃあ

今年は留年を希望する娘が多くおりますので
新しく入れる者は2~3人でよろしいかと存じます
もうだいたい目星はついたの?
書類を見る限りでは期待できそうな者がおりますが
だんな様にも見ていただかないと――
えっ
面接もしないうちから
南場がそんな事言うのはめずらしいね
子守メイドの経験者がおりましたので――

あの…
南場!?
あのう
黒ウサさんは…?
はい?
では日程などは
後ほど――
あ
いや
何でもない
うん
面接が楽しみだ!!
パ
タム
えー――
なんで黒ウサさんが子守メイドじゃないんですか!?
坊っちゃまに何て説明するんですか!?
僕は言えませんからねっ!?
う…ん
ねぇ…?
まあでも
南場の考えに間違いはないからなぁ……
でもなぁ

だんな様がいつもいつも南場さんにまかせてしまうからですよ!!
ここって時に発言権がないのはっ
……えーだってー
でもまあ確かに
黒ウサさんは叶夢の遊び相手としては最高だけれど
南場の考える理想の子守メイドとはほど遠いのかも知れないしなあ
あ〜〜〜〜〜……

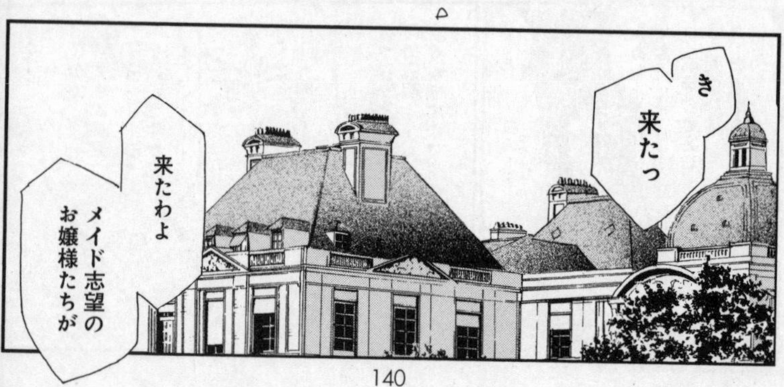
き来たっ
来たわよメイド志望のお嬢様たちが

圧倒されちゃうわねぇ――
お待たせいたしました
ガチャ
当家の家政婦長の南場でございます
ではただ今から面接を行い――
こちらで働いていただく3名の方を選出致します
え!?
3名――!?

あのう……
一昨年も昨年も
春だけで
10名は
選ばれたはずですが…
たった
3名なんて
――
今年は
このまま
残る事を
希望している者が
おりまして
新たに
募集するのは
3名だけとなりました
え――……
書類が
通れば
ほとんど
受かったも
同然て
聞いたのに
――
面接を
辞退なさりたい方は
お茶の用意が
ございますので
ゆっくり
ハイティーを
楽しんでから
お帰りいただいても
結構です

え――見て
あの人たち みんな 辞退 するの!?
そりゃあ
お茶も 断って 帰るの？
もったい ないわねえ
こんな大きな お屋敷で
ハイティーを 楽しめるなんて なかなかない機会なのに!!
落ちた ――ってより 辞退したって方が 聞こえが いいもの
たった 3人しか 受からない んじゃあねぇ
って 言うか… 居残った 私たちの せい？
えー だって!…
どうしても ここで 働きたい ――って 言い続ければ
南場さんも だんな様も 受け入れて くれると 思うのよ
何人でも
でも そこまで熱心じゃ ないのね…
ここは 単なる お嬢様の就職口の ひとつで
私たちみたいに 行儀見習い ――なんて 考え方は 古いんじゃない？
まーでも どうせ そんな人たちに ここの仕事は 無理よ
手が 荒れたり 日焼け したり ――
うん うん
えー そうかー

腰は痛いし
爪は割れるし
庭ぼうきでマメはできるし
そんな毎日に耐えられる人じゃないと
ホントホント
私たちよく耐えたわよ
でも私ね…
夜中にみんなが寝てるスキにこっそり逃げようとした事あるの
やだ!!私も!!
えっ本当に!?
私も!
私も!!
でも逃げ出したら家名に傷がつくって親に言われてたし

で
残ってるの
どんな娘たち
なのかしら
そりゃあ
3名の中に
入る気
満々の
知ってる娘?
私は
知らない
なぁ…
うちの
一族じゃ
ないわ
ちょっと
やめなさいよー
ペコリ
結構
感じが
いいわよ…
別に
ペコリくらい
誰でも
できるわよ!
だまされちゃ
ダメ!!
でも
すごく
お嬢様って
感じよね

もし
あの中に
子守の
経験者とか
保育の
資格がある人が
いたら
子守メイドに
選ばれない
理由がない――
な…
なんか
あぶないんじゃ
………
森永さんの
立場が!!

あれー
森永
で――す
どうも――
ね
ねえ
もう手
大丈夫でしょ!?
…はぁ

え――
まあ　そろそろ――とは
じゃあ　いいから
完治したってコトで戻ってきて!!
早く！
大変な状況なんだから
えっ
そんなにおどかさなくても
あの　一人の人が説明して下さい
そう一度に言われても
この間新しいメイドの面接があって
今日とうとう
3人新しい人が入ってきたの
あ――
とうとう…
で
南場さんは
そのうちの一人を子守メイドに決めるらしいの

だっ
大丈夫よ
まだ
審査会で
認められて
ないし！
でもっ
でも早く
戻って来た
方がいいと…
わかり
ました！
すぐ！
今すぐ
帰ります!!
え
今夜？
やっ
でも
そんなに
いそがなくても
あれ？
もしも
おーしっ!?
あ
切っちゃ…
ほら
だから
そんなに
おどかすな…って
言ったのに…
子守（ナース）メイドが
決まった!?

私
バカだー!!
坊っちゃまも
私を
選んでくれる
だろうし
きっと
大丈夫かも
なんて甘い事
考えてた
普通につ
常識的に
考えて
南場さんが
私みたいな
やる気のないメイドに
坊っちゃまを
任せてくれるなんて
そんな訳ないじゃない
ガチャ
私っ
お屋敷に
戻るから!!
お世話に
なりました!!
お
おう
よかったー
父さん
もう
坊っちゃまからの
プレッシャーが
キツくてな…
耐えられなかったんだ…
今夜は
シチューうどん
ナベ
オレはもう
ナベに
あきたし…
だんだん
妙なナベに
なってきてるし…

坊っちゃま
待っていて
下さい!!
ちょっとまだ痛いけど
全く感じてない・・
わ──
森永さん!!
お帰りなさい
あの
着替えてすぐ
南場さんにご報告とか
……行きます
その方がいいわね
着替え手伝うわ！
私も
あ
ひっぱらないで
待って
ボタン
そこ
どれ
靴ぬいで

いえ 全員で 手伝って くれなくても！
F1のピットインじゃないんですし…
あ そっ そうね
あせっちゃった
ビシーッ!!
あーー
エプロン 落ちつくーー
落ちついてちゃ ダメでしょ
早く！
行って きます！
実はちょっと痛いけど気がついてない

南場さん
ただ今戻りました
手はもう痛まないの?
ご心配とご迷惑をおかけしました
はい!傷口はすっかり
まだ少しサポーターは必要だと…
でもあの!大丈夫です!
今すぐっもう取れます
まだ無理はダメですよ
そのままにしておきなさい

……坊っちゃまは まだ 起きて いらっしゃいます でしょうか？

あいさつ して来て よろしい ですか

あ？ その前に だんな様…？

あ！

でも先に 坊っちゃまで 良いですか!?

……坊っちゃまは 新しく 入った娘が お世話を しているはず だけれど

あ…はい …あの 聞いて おります

……そう

——少し お待ちなさい 今 これを すませたら

私も一緒に 行って 紹介しましょうね

あ
私
ちゃんと
自己紹介も
しますし！
あの…
仲良く
しないと
ですよね⁉
大丈夫です！
では！
新しい娘が
坊っちゃまの
お世話を――
遅かったぁ――

大丈夫ですよ
坊っちゃま

その娘が
私の事を
イヤがらなければ

これからだって
坊っちゃまと
遊べる

私きっと

きっと
好かれるように

……

そんな
自信なんて

ひとっかけらも
ないいいい

――っっ!!

森永さん
おかえりなさい！
ごめんなさい
あなたが戻るまで
私 卒業せずに坊っちゃまのお世話をするからって頑張ったんだけど
あ
そっそんな
その人
今日一日私についてまわって
すぐ仕事を覚えちゃって
坊っちゃまの
お風呂の温度とか
好みの服とか
—
あ—
……私
そういう事全然—
でしたね…
でもそれはちゃんと引き継ぎの時に教えられる事だし
何も知らなくても
—
子守メイドの仕事が何かも知らなかったのに
子守メイドになりたいだなんて
—

その娘ね
児童心理学を専攻した人で
保育の経験は大学の実習だけなんだけど
留学時代に二年間
ホストファミリーのシッターをしていたんですって
気をつけて
あの人手強いと思う――
それじゃあ子守メイドになって当然って言うか
そうなのよ――
ふふふ
なんかいっそ
サワヤカにあきらめもつくわ――
話がうまいのよ
子どもの心をあやつるのがうまそう……
……お話が上手なんですか!?
そ
そうじゃなくっ
うまく
……まるめこまれ
ガチャ

え？
あ
あの…
こちらが
森永さん
ああ!!
初めまして
私
津々木実亜です!!
坊っちゃまから
黒ウサさんと
呼ばれて
らっしゃるん
ですね
私も
坊っちゃまと
話をして
いるうちに
すっかり
黒ウサさんの
ファンに
なってしまって
私も
黒ウサさんと
呼んでも
よろしい
でしょうか？
好かれなきゃ
好かれなきゃ
………
いえ!!
ここは
森永で!!
あっ
よし！
よく
いった!!

あ
そうですよね
失礼いたしました
目上の方に
――
ギャーーッ!!
だって
仕事中
ですしね?
私ったら
好かれたいって
思ってたのに
何
反抗してるの
……?
…。
えーと
森永さん
坊っちゃまはもう
お休みに
なりましたので
今夜は
ご遠慮
下さい
起こしません
寝顔を
見るだけです
だめですよぉ!!
大好きな
森永さんですから
気配で
起きてしまうじゃ
ありませんかぁ!

やっと眠って下さったんですよ
お話を五つもしましたぁ
次々にせがまれちゃって……
あでも寝る時のお話はテキトーに退屈な方がいいですよね
あ…
じゃあ明日――
……はーい坊っちゃまに何か伝言しましょうか？
いえっ起こしちゃダメですし!?
ズン!!
あ？今のヒニクにきこえたかな？
ま いいか…
ふ
さすが森永さん
森永さんに起こされたら坊っちゃまも喜ぶのにあんな言い方ないわよね
………ええ信じられませんね
……あんな
"お話を五つ"だなんて
ありえませんよ すぐネタ切れですよ!! 分かってないですよ!!
そこ!? うう

……
ねえ!? 今っ 黒ウサの声 した!?
いいえ 違いますよ?
他の メイドさん です
なんだー
ねぇ 坊っちゃま さっき私と 約束 いたしました よね
おう
黒ウサには 内緒だ!
そうですね
ミヤーと 坊っちゃまだけの 秘密ですう
《つづく》

# 歌うたいの黒うさぎ 6!!

そろそろ ラストページに なります…。

いかがでしたでしょうか!? お買い上げ ホントーにありがとうございました!!

カバーは やっぱり 黒ウサさん描くより
坊っちゃまの方が楽しいなあ。 服もかわいいし。 ←あっ自画自賛…
今のところ Wキャストってコトで
交互にカバーに登場させております。 あっもちろん気がついてる?

オレも気がついてるぜ

2014年7月 現在の石井

- 1番最近DLした曲は BABYMETAL の"ギミチョコ!!"
- 虎徹の足に赤いポツポツと。それを舐めてできたハゲ発見。
  病院で アレルギーかどうかの血液検査 ← 異常なし。
  エリザベス・カラー中。
- TVで 楽しみにしているアニメ
  黒子のバスケ・ハイキュー!!・弱虫ペダル・頭文字D・テニスの王子様…
  新旧入り乱れてます… ハイキュー!!と弱虫ペダルはKindle版も。
  進撃の巨人もコミックスですね… アニメは1〜2度見ました。
  あ! 少年誌ばっかり…; だって友だちが おススメしてくれるの
  少年誌ばっかりなんですもん。
- 網戸を自分で張り替えた! YOUTUBEで見ながら! チョー簡単でした。
  ←虎徹が破って脱走した…
- この作業 終わって ちょっとしたら帰省します!
  静岡県の三島市。 三嶋大社(みしまたいしゃ)のお祭り ちょーすごいです! 行事も屋台の数も!
  ぜひぜひ1度 見に来て下さいね!!

以上!! ペコり。 イマココ

2014.7.31

スペシャル番外編
歌うたいの黒うさぎ
UTAUTAI no KUROUSAGI
第26.5章

森永さん
僕は本屋に寄ってくんで
途中で降ろしてもらう
これは26章と27章の間のお話です
あ本屋!?
いいですねー
私も行きたいですー
おいおい
坊っちゃまを一人で帰すのか？
オレも行くし！
でも普通のデパートですし
人がいっぱいで
酔っちゃいますよ？
だいじょぶだ！
イケる!!

ゔぉ
子ども
まぎれだ…
ここでは
坊っちゃまも
子どもですからね
でも
子どものフリ
して下さいね
…お
おう

坊っちゃまの誕生パーティの時もクリスマスにも
坊っちゃまと同年代の子どもしか
招待されていないんだよ
だから
これだけ一度に子どもを見た事がないんだ
ほら坊っちゃまは上にいたがるから年上の子どもはキライなんだ。
あー…
なんとかなりますよ
じゃあ僕は他の棚を見ているからよろしく
坊っちゃま黒ウサさんとはぐれないようにして下さいね
あ
お
おー
おー
坊っちゃま
まず何か本を選んで来て
あの椅子や広場のところで読んでいいんですよ
気に入ったらそれを買いましょう
お
…う

何にしますか?
これとか……
売り上げベスト1だそうですよ
お
おうっ…
坊っちゃまさっきから
〝おう〟しか言ってませんヨ?
黒ウサがいいの買って
私ですかぁ
じゃあこわいの買っちゃおうかな
ホラー小説家の書いたこわい絵本とかあるんですよ
えっ
こわいのに!?
絵本なのにこわいの!?
ええこわいですよ——
——お?

あの
ちょっと
いいですか？
はい？
トイレ
行きたいので
この子
お願い
できる？
あ はい
いいです
……よ？
ほら
この
お姉ちゃんに
本読んで
もらって
うちの子には
この本ね
え？
ついでに
下の階の
キッチン用品
見に行かない？
あ
そうねー
本読んでー
私先
ーーっ
あ
あの!?

イヤです
本を読む約束なんてしてないですし
えーーっっ
なんでその子ばっか読んでもらえるの!?
オ
オレは後でいいし?
ちっしょーがねーな
え
そうですか?
じゃすぐ読んじゃいますね
大食漢のタヌ吉にいつもはげまされ
年に台風で川がはんらんして西町と東町の間に
壊れ西町と東町の行き来ができなくなった。タヌ吉くん
西小で同じクラスだったのにボクや他の東町の子は川のむ
小に行けなくなったので転校することになった。中学も別々
やって、ふたりともだんだんクラブや朝練やら早朝勉強やら
い日が続いていった。そんなある日、タヌ吉くんのお母さん
ったという話を聞いた。橋がなくなったから救急車が遠ま
なくて間に合わなかったらしい。ボクは対岸のタヌ吉
いった。タヌ吉くんはいつか自分が橋を架ける
住民の署名運動で大きな橋がかかった
なかった。
はいおしまい!
えーやだ最初から!

ダメですよー?
ね? 坊っちゃまの番ですもんね
おぉ… 黒ウサ すっゲー おこってる …よな?
ぼっちゃま だってー―
へんなの――
えー ぼっちゃま だってー
へーーん へーーん
坊っちゃまの どこが 変だよ?
はあぁん? 今の もう一回 言ってごらん? ほら 言ってごらん?
はい さっさと そこに 座って
私が坊っちゃまに 読むのを 大人しく 聞いていて下さい!
う… うん
すみません うちの子にも お願いー
え ダメです!

私はここに座って
こうやって本を
読んでるだけ
ですから
そんな乳幼児
置いてかれても
お世話は
できませんよ?
そーだ
そーだ
え
どうして!?
そっちの子は
見てあげて
うちの子は
見れないって
事?
はい!
コク
コク
もう
いいわ
他の
店員さんに
たのむわ!
え?
“他の
店員さん”?
もしかして私
コスプレの店員に
間違えられてる!?
ですから
お客様
このエリアは
保護者の方が
そばにいて
下さらないと
だめなんです
託児できる
施設では
ありません
ので――
あれさあ
メイド
連れて来れば
さー?
トイレとか
買い物とか
行けんじゃん?
なんで
つれてこねーんだ?
坊っちゃま
それは
……
言っちゃ
ダメですぅ。

じゃあ
あの人は
何なんですか
あ?
いえ
あの方は
うちの店員
では…
あーあ
やっぱり
間違え
られてたのね…
え…
ただの
お客なのに
店員のフリして
子どもを
預かっているの!?
それを
許しているん
ですか!?
いえ
そんな
……
今
事情を
聞いてみます
ので――
黒ウサは
オレの
メイドだ!
文句が
あれば
オレがきくし
坊っちゃま
カッコ
いいです
子どもは
黙ってなさい!!
え

ガツコーン!
とにかく あちらで 詳しく お話を……
……でも こちらに いては
他の お客様にも あの…
イヤです…
私 別に 悪い事は していないし
あなた ちゃんと 話できないって 言うの?
え 何
何の さわぎ?
ニセ店員が
子どもを 預かってた らしいですよ
へーえ こわい ですねぇ
え まさか ……

黒ウサをいじめるな!
坊っちゃまに指図してはダメですヨ?
ピク
あ゛!?
あぁああ
こらっ!!
どこ行くのーっ!?
あ゛ーーー
ザザ
ザザザ

あ゛あ゛あ゛う
ザザザザザザザ
えっ
!?
え!?
げっ
オお
桃桜様!?
オい!
お久しぶりですー
…
桃桜ーーっ
あー こっち でーーす
もう びっくりしたわー
試着中に すごい勢いで 見えなくなっちゃって
黒ウサさんの声が きこえたのね
メイド服 お似合いですぅ
この子ったら 黒ウサさんと 同じメイド服が 欲しいって
テレビで メイドさんが 出ると かじり ついてるのよ
トーウチェリー ただいまー パパだよー
…
…

今日は本を買いに？
叶夢(かなむ)くんの？
ええ
あ
おい店員
ははい!?
オレ本買うぞ！
決まりました？
どれが欲しいですか？
ここの全部買う！

…
坊っちゃま――
店員さんを困らせてはいけませんよ？
あらステキ！
私も一度やってみたかったのよ
ここからここまで全部包んで――って
あ
つつんでくれ
いえだめです
自宅で使うなら余計なラッピングはエコではありませんし
さすが噂通り変わり者のメイドさん…
……わ
わかったじゃそのままで
あ
はいかしこまりました
――ちょっと店員さん
いつまでこんな小芝居につき合ってるの
この人がここの店員のフリをしたって事が問題なんだけど!!
あっあれ!? そっそうでしたね
ついうっかり景気のいいお話にのまれてしまいました…
あ！ そうよ在庫もあるんじゃない？
一緒に買っちゃうー？
にー
ざいこ？

倉庫にしまってある分よ
じゃそれも全部買う
……
全部買うとかそんなのムリじゃんウソばっかり言うの良くないでーす
……
NGワード
子どもが言うコトなんてほっときなよー
あそこで読んでんのも買う！
えっ!?
ここの本屋の全部!!

宮ケ瀬（みやがせ）様
桃桜様
こちらでしたかっ!!
担当者から
姿が見えなく
なったと連絡が…
桃桜さまぁ
あら
忘れてた！
あ!?
もしかして
叶夢様
ですか!?
大きく
なられて
私
お小さい頃
何度もお屋敷に
おじゃまいたしました
おじさんが
小さいコロ？
オレまだ
生まれてなくね？
あー
いえ…
そうではなく…
……
覚えて
ねーし!!
……
おじさん
えらい人か？
いえ
えーと上から
三番目
ですかね…？
まだまだ
若いな!!
一番上の人と
三番目あたりの人って
会社にあまり
来ないものなのよ
いや
おはずかしい…
いらっしゃると
おっしゃって
いただければ
全館 臨時休業に
致しましたのに！
!!
相変わらず
商売上手ね
でも
今日はこの子の
春物だけよー
今回は
代わりにこの叶夢くんが
かなーり
散財して
くれそうね

ねぇねぇ
じゃあ
もしかして
妄想家族
とかじゃなくて
マジで大金持ちの
本物の
坊っちゃまと
メイドさん!?
誰だよ
最初に
店員って
間違ったの
間違えて
子ども
押しつけて
トイレなら
まだしも
実は
買い物に
行ってるとか
ありそう~~~
お姉ちゃん
また本
読んでー
ニセ店員が
子どもを預かった
とか言い出して
ハンパな
クレーム
つけてるやつが
いるんだって
何の
さわぎですか
もう
ちょっと目を
離しただけ
なのに…!!
ちがうし!
違うのよ~
ちょっと聞いてよ!!
あー
そうなんですか
なるほど
それは
坊っちゃまの
矜持の問題
ですね……

ここは
叶夢様の
顔を立てて
さしあげた方が
――
ねー？
でしょー？
え――
南場さんは
しかられるう
叶夢様
私をかばって
下さって
ありがとう
ございます
……ニセ店員と
言われて
とても
悔しかったけど
今は
すっとして
いい気分です
お
おう
だから
もう
いいです
今日は
お好きな本だけ
買って帰りましょう？……

でも
ホントに
全部
買うし…
全部買っても
読み切れないですよ
読み終わったら
また買いに
来ましょうね!!
そっか?
また来て
買えばいっか
そう
ですよー
買った本から
順番に読んで
あげないと
本がかわいそうです
だから
私が今月
読めるだけの
本を
買って下さいね
あ
そっか
……
だなー

あなたが
責められて
いるとわかって
一矢報い
たかったのね
おチビの
くせに
さすが
一族の血を
引いてるわ!
数知さんと
万乃愛ちゃんが
一緒なら
本当に
在庫分も
買ってるわよ
最悪の組み合わせ…母さん…
ほーら
黒ウサさんと
おそろいね
でへー
わーほんとだ
かわいい
オレも買う
ここの
全部
買うっ
坊っちゃま
だから それは…
《おわり》

黒ウサ なぜなに Q&A
読者さまから ザクザク 質問が あるみたいですヨ!?
楽な質問にだけ サクサクと 答えましょう!!
なに なに それ なにー?
Question① 叶夢さまの 服選びの ポイントは?
えー 別にー 何でもー
チクチク しないやつ?
あんまり 子どもっぽく ない服ばかり ですよねー?
ガキっぽいのは イヤだし!
あと 黒はヤダ
あー だんな様が 常時全身 ほぼ黒です もんねー
あいつ 働きアリ だから いつも黒だー
うまい!!

Question②
黒ウサさんの主な仕事はお掃除みたいですがお屋敷中ちゃんとやってますか？
ムダに広くて部屋数は多いですけど
私程度の下っ端のメイドは
入っちゃいけないエリアがいっぱいあるし…
テキトーでいいんです
テキトーに答えてるなあ
あ
15
屋敷の掃除って言ったってさ
使ってない部屋の家具にはカバーリングされてあって
掃除しなくていいから
毎日たいして働いてないよね？
そんなのもう読者の皆さんもお気づきですヨ?
15さんだって何してるかわからないから――って
質問きてます
Question③
毎日ヒマそうな充悟さんの一週間のスケジュールは？
あのなっ
今この時期たまたまヒマなだけなの
在学中の大学院の地質学研究室は
冬の間は担当教授が温泉めぐりをしていてたいてい閉まってるんで休みです

温泉めぐりは
温泉好きな
先輩が
ついていってるので
留守番の
オレは
研究室にある
植木に水を
やりに行くのが
スケジュール
えっ
そんだけ
だったの!?
なんも忙しく
ねーじゃん!?
春に
なったら
フィールド
ワークに
ついてくので
忙しくなる
予定ですよ!
オレに
ついて
他に
質問はー?
あー
きっぱり
ないです!
読者様は
15さんには
たいして
興味が
ないんですよ
がっ
ガク
坊っちゃまへの
質問は
坊っちゃまの
ゲタバコに
入ってるかも
ですよ。
あっそだ!
見てくる!!
あのさ
ちょっと
言わせてくれ!!
あ
いらっしゃったん
ですね…
オレの
黒い服に
ついてだけど!
別に
ものすごく
黒が好きな
訳じゃない!

昔は
ワイシャツは
クラシック
ブルーや
ピンクが
好きだったんだ
でも
ある日…
坊っちゃまの
ンチが
ついたまま
会社に
行ってしまったん
ですよね
あー
クリーニング
しても
何だか
うっすら
落ちてない
ような
気がして……
イタリア製の
ネクタイも
ヨダレで
うちゃうちゃ
だし
あいつが
いつも
口にくわえるからー
でも
黒なら
いい！
全く
気にならん！
他人に
バレなきゃ
いいんだ
ほー
なるほどー
って
コトで
黒に
決めたんだ
ネクタイも
毎日は
しない
コトにした
言っとくが
別に
いつも
同じ服じゃ
ない！
同じデザインのは
10枚ずつは
持ってる
微妙に
黒の色合いも
違う！

あった あったー
ガラガラ
Question④
坊っちゃまの宝箱の中には今何が入っていますか？
えーと
あっ 取ってくる
じゃ この質問の答えは後で
で？ オレには何かないの？
Question⑤
だんな様のお仕事が気になりすぎます!!
えー そーねーっ
何でもやってるよ
売ったり 買ったり
貸したり 借りたり 煮たり 焼いたり…
Question⑥
お屋敷は日本のどのあたりにあるんですか？
あ それはねー
それはセキュリティー上お教えできかねます
いくら日頃お世話になっている読者の方の質問とは言え
ちゃんとよくお考えになって
お答え下さいませ
…すみません

取ってきたー
ドテ
坊っちゃま 大丈夫ですか
南場も何か質問ないの？
私の事など誰も気にしていませんよ
えっ そう そうかな… 一番知りたがってると思います…
坊っちゃま これは—— 宝の地図？ですか？
黒ウサの耳だ！
おやじが欲しがってるみたいだからかくした！
ちゃんとビニールに入れてうめたから泥つかないし
人ぎき悪いからやめて〜

Question⑦
「歌うたいの
黒うさぎ」の
制作秘話を教えて!!
えー
たて続けに
日本家屋の
お話ばかり
描いていたので
ちょっと
洋館を舞台に
したかった
——と
作者が
申しております
えー…
そんな
いい加減な
裏話
ききたくなかった…
ってコトは
きっと
この連載が
終わって
次が
あるとしたら
日本家屋が
舞台の
お話で
——
たぶん
女ばかりの
家族の
お話に
なりますね
えー
オレたち
全否定!?
黒ウサが
お嬢様でー
オレがメイドー
とかー…
オレ
また出たい…
なんでも
いいよ?
坊っちゃま…
私も
出られないん
ですよ…
マジで!?
泣ける…

Question⑧
うちにはオーブンもミキサーもブレンダーもありません
そんな私にも何か作れるおやつありませんか？
えーそんなムチャなー
わかりましたあえて道具にこだわらないあなたのために!!
お豆腐で作るバナナココアムースです
材料はタイトル通り…
絹ごしで!!
バナナ1本
ココア
バナナと豆腐をつぶします！
うねうね
ぐちゃ～
ジップに入れたりして…
適当にココアを入れて全部をまぜますまぜます
ガシャ
ガシャ
ほんとにまざんのコレ…？
小分けして冷蔵庫にイン
そのうちかたまってますよ
質問も適当なら答えも適当だなっ
Question⑨
南場さんの若い頃ってどんな？
・・・・
すみません南場さーん
Q&A終了ーっ!
ドガシャ!!
はい何ですか？

《おわり》

収録作品メモ

「歌うたいの黒うさぎ」⑥巻 ■YOU・平成26年4月号から8月号に掲載
「スペシャル番外編 第26.5章」■YOU・平成26年5月号に掲載
「黒ウサ なぜなにQ＆A」■YOU・平成26年5月号に掲載


＊マーガレット コミックス

歌うたいの黒うさぎ⑥

2014年8月30日 第1刷発行

著者 石井まゆみ



編集 株式会社 集英社クリエイティブ
〒101-0051 東京都千代田区神田神保町2－23－1
アセンド神保町ビル
電話 03(3288)9823

発行人 鈴木晴彦

発行所 株式会社 集英社
〒101-8050 東京都千代田区一ツ橋2－5－10
電話 編集部 03(3230)6270
読者係 03(3230)6076
販売部 03(3230)6393
【書店専用】

Printed in Japan
印刷所 凸版印刷株式会社





ISBN978-4-08-845259-3 C9979